VARDA ETIENNE

MA BELLE-MÈRE CHÉRIE

LES ÉDITIONS LA SEMAINE
Charron Éditeur inc.
Une société de Québecor Média
1055, boul. René-Lévesque Est, bureau 205
Montréal (Québec) H2L 4S5

Directrice des éditions: Annie Tonneau
Directrice artistique et couverture: Lyne Préfontaine
Coordonnateur des éditions: Jean-François Gosselin

Photo de l'auteure: Dugraff
Infographie: Echo international

Cet ouvrage est une œuvre de fiction. Toute ressemblance avec des personnes réelles ou avec des événements ayant eu lieu, est purement fortuite.

L'éditeur bénéficie du soutien de la Société de développement des entreprises culturelles du Québec (SODEC) pour son programme d'édition.

Nous reconnaissons l'aide financière du gouvernement du Canada par l'entremise du Fonds du livre du Canada pour nos activités d'édition.

REMERCIEMENTS
Gouvernement du Québec (Québec) — Programme de crédit d'impôt pour l'édition de livres — Gestion SODEC

Dépôt légal: deuxième trimestre 2015
Bibliothèque et Archives nationales du Québec
Bibliothèque et Archives Canada

ISBN: 978-2-89703-275-3

VARDA ETIENNE

MA BELLE-MÈRE CHÉRIE

Une société de Québecor Média

DISTRIBUTEURS EXCLUSIFS

- Pour le Canada et les États-Unis:
  MESSAGERIES ADP*
  2315, rue de la Province
  Longueuil (Québec) J4G 1G4
  Tél.: 450 640-1237
  Télécopieur: 450 674-6237
  * une division du Groupe Sogides inc.,
  filiale du Groupe Livre Québecor Média inc.

- Pour la France et les autres pays:
  INTERFORUM editis
  Immeuble Paryseine, 3, Allée de la Seine
  94854 Ivry CEDEX
  Tél.: 33 (0) 4 49 59 11 56/91
  Télécopieur: 33 (0) 1 49 59 11 33

  Service commande France métropolitaine
  Tél.: 33 (0) 2 38 32 71 00
  Télécopieur: 33 (0) 2 38 32 71 28
  Internet: www.interforum.fr

  Service commandes Export – DOM-TOM
  Télécopieur: 33 (0) 2 38 32 78 86
  Internet: www.interforum.fr
  Courriel: cdes-export@interforum.fr

- Pour la Suisse:
  INTERFORUM editis SUISSE
  Case postale 69 – CH 1701 Fribourg – Suisse
  Tél.: 41 (0) 26 460 80 60
  Télécopieur: 41 (0) 26 460 80 68
  Internet: www.interforumsuisse.ch
  Courriel: office@interforumsuisse.ch

  Distributeur: OLF S.A.
  ZI. 3, Corminboeuf
  Case postale 1061 – CH 1701 Fribourg – Suisse

  Commandes: Tél.: 41 (0) 26 467 53 33
  Télécopieur: 41 (0) 26 467 54 66
  Internet: www.olf.ch
  Courriel: information@olf.ch

- Pour la Belgique et le Luxembourg:
  INTERFORUM BENELUX S.A.
  Fond Jean-Pâques, 6
  B-1348 Louvain-La-Neuve
  Tél.: 00 32 10 42 03 20
  Télécopieur: 00 32 10 41 20 24

CHAPITRE 1

19 h. Brossard. Gaëlle Simard fait son entrée sublime dans le restaurant Asada. Comme tous les vendredis.

Très pressée, très en retard, très blonde.

Très voyante.

Elle balaie rapidement des yeux les tables peu éclairées, attrapant au vol le regard vorace des mâles. Ça aussi, ça fait partie de son plaisir du vendredi : ces coups d'œil rapides, insatiables, qu'elle perçoit dès qu'elle entre dans un lieu public, c'est pour eux qu'elle s'est teinte en blonde, qu'elle porte des lunettes noires et qu'elle a choisi ce tailleur, ce rouge à lèvres, ces implants mammaires. Son corps élancé, ses fesses saillantes, jusqu'à cette manière de marcher en feignant de ne pas remarquer l'effet produit par tout cet attirail sur la testostérone, tout en elle est conçu pour provoquer l'envie. Elle pourrait décrire les désirs obscènes qu'elle réveille, les érections sous les tables et les blagues salaces. Elle les sent dans les vibrations.

Et elle les adore.

Enfin, elle secoue lentement ses rallonges blondes comme Bo Derek à Malibu, et traverse la salle en se déhanchant pour rejoindre Sophie et Nathalie qui l'attendent à la table ronde près de la fenêtre du restaurant.

Elles non plus ne rateraient jamais ce rendez-vous du vendredi, commencé à la polyvalente Monseigneur-Paul à Longueuil et poursuivi malgré la météo, les maris, les fausses couches – ou les drames invraisemblables qui parsèment la vie quotidienne de Gaëlle.

Une habitude, une tradition. Un rituel.

— Elle m'énerve ! Maudit qu'elle m'énerve ! commence immédiatement Gaëlle en s'asseyant, exténuée, noyant ses amies dans des effluves de Coco Chanel – une façon comme une autre d'envahir l'espace de tout le monde.

— De qui tu parles ? demande Sophie, pressentant que ça va être drôle.

Sophie Langlois, rousse, un peu boulotte, est l'inverse de Gaëlle : pas de maquillage, pas d'artifice, aucune recherche d'apparence. Elle porte un pull à col roulé de cachemire vert, beaucoup trop cher pour être discret, estime Gaëlle. Avec un mari comme le sien, pourtant, Sophie pourrait s'offrir tout ce qu'elle veut. Mais on dirait qu'elle ne veut jamais rien. Tout son contraire, vraiment. Autant Gaëlle joue des coudes pour arriver, autant Sophie laisserait tout le monde lui marcher sur les pieds pour s'excuser ensuite d'exister.

— D'après toi ? Qui d'autre sur la Terre provoque chez moi des crises d'érythème fessier sévères ? Margareth ! Personne d'autre !

— Elle a recommencé? intervient Nathalie, en riant.

Une beauté pure qui s'ignore, Nathalie Clément, avec ses yeux bleus genre piscine olympique, et ses cheveux noirs. Californienne pour le corps, romaine pour le visage, elle n'a pourtant jamais prêté attention à son physique. La plupart des hommes qui lui ont couru après ont pédalé dans la choucroute : elle n'avait pas un regard pour eux et aucun goût pour les jambes en l'air. Elle cherchait l'amour, pas le plaisir. Un parcours qui l'a menée à sa perte.

— Mais elle n'a jamais arrêté, qu'est-ce que tu crois ? Elle est complètement obsédée par l'idée que j'aie un enfant un jour. Toujours la même rengaine : c'est pour quand le bébé ? As-tu décidé pour le bébé ? Ça ne te tente pas, un beau bébé en santé avant la quarantaine ? Que dirais-tu d'un petit bébé métissé ? Ou enfin le fabuleux : quand me feras-tu de nouveau grand-mère ? Comme si c'est moi qui la fertiliserais. Nooon justement, ça ne me tente pas, ça ne me tentait pas avant et ça ne me tentera jamais ! Si tu veux être grand-mère une nouvelle fois, adresse-toi à ta fille Carline, moi j'ai fermé la laiterie.

— En tout cas, moi, je n'ai jamais compris pourquoi ton mari, Jean-Robert, accepte si facilement de ne pas avoir d'enfant, remarque Sophie. J'ai toujours trouvé ça bizarre.

— Qu'est-ce tu veux, il m'aime tellement qu'il n'en voit plus clair ! réplique Gaëlle tout en tirant de longues bouffées mentholées de sa vapoteuse.

— Ça, je sais, et c'est justement pour ça que je ne comprends pas, continue Sophie en triturant la croix qu'elle porte toujours sous son pull. Quand un homme aime une femme…

— … il la baise du matin au soir, conclut Gaëlle en vérifiant les nombreux courriels qui semblent se précipiter sur son téléphone.

Des clients de tous les continents sur lesquels elle organise ses événements sélects. Elle non plus n'a jamais vraiment compris pourquoi il n'insiste pas davantage, mais elle ne s'est jamais donné le temps d'examiner plus avant cette question. De peur de la réponse, peut-être. De toute façon, Gaëlle n'aime ni les introspections ni les psychanalyses. Elle n'apprécie que ce qui va vite et donne des résultats immédiats.

— Merde, ça n'arrête jamais de rentrer, constate-t-elle, bien contente d'avoir des prétextes à son excitation congénitale. J'ai besoin d'un drink ! En plus, j'ai un vol pour Paris demain et je n'ai encore rien préparé. Je ne sais même pas si ma chambre d'hôtel est réservée au Plaza. Anyways, on avisera. Alors, quoi de neuf dans vos vies plates de mômans de banlieues ?

— Wow, tu vas à Paris, encore ! s'exclame Sophie, admirative, qui, tous les vendredis, se sent à des milliers de kilomètres de la vie trépidante de son amie. Cette fois, tu dois absolument visiter l'Oratoire du Louvre, c'est magnifique ! Très bel endroit pour prier et se recueillir.

Gaëlle lève les yeux au ciel.

— OK, sœur Angèle, donne-moi un break ! Les seuls moments où je prie, c'est lorsque j'attends la confirmation d'un nouveau contrat d'un client important ou quand j'ai hâte d'atteindre l'orgasme lors d'une partie de jambes en l'air ! Anyways... parlons d'autre chose. Toi, Nath, quoi de neuf, beauté ?

— Business as usual, répond-elle, magnifique en T-shirt et en jeans, comme toujours. Des examens de mes élèves à corriger, des jumeaux en crise prépubère et des paiements en retard. Une vie plate, comme tu dis... très ordinaire... Et pourtant, je ne me sens pas capable de gérer tout ça. Je me trouve nulle, des fois, je vous avoue.

Elle baisse les yeux.

— Comment une femme aussi belle que toi peut-elle se trouver nulle ? intervient Gaëlle. Regarde autour de toi ! Tu es la plus belle de tout ce restaurant ! Malgré des grossesses multiples sans épidurale, une vie de dépressive et aucune relation sexuelle depuis l'an II après Jean Chrétien, tu es un appel à l'amour. Fais comme tout le monde, trouve-toi un riche et on n'en parle plus. Il est où, le serveur ?

— Ta belle-mère ne t'aide plus ? continue Sophie, compatissante, en posant sa main sur l'avant-bras de son amie. Elle est tombée malade ?

— Ginette fait tout ce qu'elle peut. C'est presque une mère pour moi et sans elle...

— C'est exactement ce que je dis. Les enfants, c'est pas une vie, c'est de l'esclavage ! interrompt Gaëlle. En plus, ça pue et ça monopolise les trois quarts de ton temps et de ton argent. C'est qui encore ?

— Mme Mayfield, répond lentement Sophie en regardant son cellulaire.

Elle s'en saisit et le regarde vibrer fixement comme si elle n'arrivait pas à se décider. Son humeur s'assombrit.

— C'est la troisième fois en une heure, commente Nathalie en levant ses yeux cernés mais toujours vifs au ciel.

— Mets le haut-parleur, je veux l'entendre !

Gaëlle a arraché le téléphone des doigts de Sophie. Elle appuie sur la touche mains libres, et le lui rend à contrecœur. Depuis le secondaire, la tristesse de Sophie lui a toujours été pénible et elle ne supporte pas que sa timidité autorise les autres, et encore moins Mme Mayfield, à profiter d'elle. Quand Sophie était rejetée par les garçons, c'est toujours Gaëlle qui prenait sa défense en allant leur parler dans la face. Si Nathalie possède une beauté qui ne lui sert à rien, Sophie a une gentillesse dont tout le monde profite.

— Oui, madame Mayfield, que se passe-t-il ? commence Sophie craintivement, en bouchant son oreille à cause du bruit ambiant.

— L'apocalypse pendant que tu fais la fête, comme d'habitude. À quelle heure tu viens chercher ta progéniture ?

— Dans une heure, ça vous convient ? Ma copine Gaëlle vient tout juste d'arriver et on...

— Une heure ? Mais ils auront le temps de détruire tout le quartier ! Ils courent partout, ils crient dans toutes les pièces, ils ne rangent rien...

Gaëlle, connaissant l'obéissance légendaire de ces enfants, bondit. Mais Sophie, qui craint qu'elle ne s'adresse directement à sa belle-mère, lui fait signe de rester tranquille.

— ... et je passe mon temps à ramasser derrière eux. Lorsque MES enfants Kurt et Tiffany avaient leur âge, ils savaient se tenir, eux... C'est incroyable tout de même ! Comment est-ce que tu les élèves ?

— Je comprends, madame Mayfield, je vais leur parler dès mon retour.

— Leur parler ? Mais tes enfants n'ont pas de système auditif, ma pauvre Sophie ! Ils n'entendent rien. C'est la fessée qu'il leur faut et j'aimerais que tu revoies tes méthodes québécoises. Regarde Kurt… Regarde comment nous avons fait, son père et moi. Et compare les résultats…

Sophie sent les larmes lui monter aux yeux. Décidément, elle n'arrivera jamais à monter dans l'estime de sa belle-mère. S'il y avait une échelle des belles-filles, elle occuperait le sous-sol. Malgré ses efforts, son abnégation auprès de son mari et l'extrême soin qu'elle prend de ses enfants, elle ne sera jamais qu'une Québécoise de Longueuil qui a épousé Kurt Mayfield pour son héritage. Finalement, elle est aussi démunie que Nathalie.

— Oui, madame Mayfield…

— Et dépêche-toi de venir les chercher, je pars à un bridge dans une heure et demie.

Gaëlle brandit un majeur obscène en direction du téléphone.

— Ah! Avant que tu raccroches… Les dents de William sont affreuses. Comment se fait-il qu'à sept ans, personne ne se soit…

Gaëlle tente d'arracher le téléphone pour continuer la conversation à sa manière, mais Nathalie intervient pour l'en empêcher. Sophie s'écarte rapidement et détourne la tête.

— Nous avons rencontré un orthodontiste qui nous a suggéré qu'il porte un appareil. On le fera à la rentrée.

— Pourquoi pas tout de suite ? Qu'est-ce qui est plus important, faire réparer les dents pourries de requin de William ou aller faire la fête avec tes copines toute la nuit ?

Nathalie lui fait signe de laisser tomber. Il n'y a rien à attendre de cette conversation et Gaëlle menace d'empirer la situation. Sophie acquiesce.

— Oui, madame Mayfield, vous avez raison. Je serai là dans une heure, pas plus. Encore une fois, mille mercis de les avoir gardés.

— Mais comment tu peux te faire parler comme ça par cette mal baisée ? s'écrie Gaëlle avant même qu'elle ait raccroché. Pourquoi tu ne lui enfonces pas son appareil dentaire dans l'anus, et ce, sans lubrifiant ? De quoi qu'elle se mêle anyways ?

— Qu'est-ce que tu veux que je fasse, Gaëlle ? demande Sophie en regardant son téléphone d'un air éteint. C'est la mère de Kurt... et c'est la grand-mère des petits...

— Kurt devrait prendre ses couilles pour faire marcher sa mère au doigt et à l'œil comme elle le fait elle-même avec son maudit caniche de salon. Mais bien sûr Monsieur est aux petits soins avec la riche madame Mayfield et il a...

— Ah non, les filles ! s'exclame Nathalie. Ça suffit avec madame Thatcher ! On ne va pas passer la soirée sur elle.

— N'empêche qu'une baise entre deux tasses de thé Earl Grey, ça lui calmerait les hormones pareil ! Anyways, changeons de sujet, tu as raison, Nath, cette vieille sacoche ne mérite pas que je gaspille ma salive pour elle. Et toi, Sophie, ne t'inquiète pas… Profite de ton temps avec nous, c'est toujours ça de moins pour les Anglais. Alors, Nath, Vincent, le trou d'cul, il paie sa pension finalement ?

— Non… il est encore en retard de trois mois.

— Trois mois ! Mais comment fais-tu pour joindre les deux bouts, Seigneur ! compatit Sophie en prenant la main frêle de son amie. Est-ce que tu veux que je te prête un peu d'argent ?

— Vous m'aidez déjà depuis des mois… Il faut que j'y arrive toute seule, sinon je vais perdre toute estime de moi. Il en reste déjà si peu… Après tout, je ne suis pas la seule mère monoparentale au Québec. Et Ginette m'aide beaucoup, ça facilite les choses.

— Toi, ta belle-mère est en or, prends-en soin.

— Euh… c'est pas sa belle-mère, corrige Gaëlle en lisant un nouveau courriel, c'est son EX-belle-mère et c'est normal qu'elle l'aide. C'est quand même la grand-mère de Noah et Nathan… Sans oublier que son fils est trop con, trop irresponsable pour faire son devoir de père.

Vincent Lamoureux, depuis quatre ans, paie sa pension alimentaire quand l'envie lui en prend, c'est-à-dire rarement. Il préfère apparemment gâter sa nouvelle conjointe, une jeune Vénus *latina* à la peau dorée qui lui a déclaré un amour quatre saisons. Et le fils de cette dernière, né d'un père incarcéré dans une prison cubaine.

Mais Nathalie baisse la tête. Discuter de la pension alimentaire ne l'enchante pas non plus. Elle a laissé tomber les bagarres judiciaires, trop lentes, trop chères, trop épuisantes affectivement. Ginette comble les trous dans le budget sans faire de commentaires.

— Les garçons vont passer le week-end chez elle, justement. Elle s'ennuie d'eux tout le temps et ils l'adorent ! Encore cette semaine, elle leur a acheté un paquet de trucs : des jeux vidéo, des vêtements, des collations pour l'école.

— Ce n'est pas Mme Mayfield qui ferait ça pour mes petits, rétorque tristement Sophie. Les plus pauvres sont toujours les plus généreux. Elle préfère dépenser son argent en chirurgies plastiques et en tableaux de Riopelle...

Un serveur s'approche de la table.

— Tout va bien ici ?

— Ben non, tout va mal justement, répond Gaëlle. Ma belle-mère veut que son fils m'engrosse et me rende difforme, la belle-mère de Sophie veut coucher avec son fils parce qu'elle est persuadée qu'il est une divinité, et Nathalie n'a pas de belle-mère parce que son crétin de mari a divorcé pour Miss Venezuela. À part ça, on approche toutes les trois de la quarantaine et on est en train de rater nos vies. On reprend la même chose.

— Trois litchis martinis ?

— Des doubles, précise Gaëlle. En l'honneur de nos belles-mères chéries !

\- - - - - -

Plus tard dans la soirée, le téléphone de Sophie recommence à vibrer : même à distance, Mme Mayfield réussit à exaspérer son monde. Sa belle-fille, d'abord tentée d'ignorer ses appels, finit par céder comme elle le fait d'habitude :

— Oui, madame Mayfield, c'est promis. Je suis là dans vingt minutes.

Elle implore des yeux ses copines, les suppliant de la comprendre. Son interlocutrice poursuit son monologue de jérémiades.

— Quoi ? s'écrie Gaëlle le plus fort possible pour se faire parfaitement entendre. Tu es prête à annuler notre soirée du vendredi parce que cette enculée a ses hémorroïdes ? Passe-moi ton cell ! hurle-t-elle.

— C'est pas sympa, Sophie, ajoute Nath, déçue. On n'a déjà le temps que de se voir une fois par semaine... On a un pacte...

Gaëlle extirpe le téléphone des mains de Sophie et le coupe. Elle le jette sur la table.

— Tu sais comment j'appelle ça, moi, une enculée avec des hémorroïdes ? La justice ! Tu restes avec nous, Sophie. S'il le faut, on t'attache !

La pauvre Sophie, complètement désemparée, éclate en larmes dans les bras de Nathalie. Elles ont raison. Sa belle-mère attendra. Qu'importe les conséquences.

Le serveur dépose devant elle son litchi martini. Elle le boira pour oublier la catastrophe qui l'attend.

CHAPITRE 2

20 h 15. Sophie file à vive allure vers l'autoroute 132 pour rejoindre la résidence de sa belle-mère. Elle n'a pas touché au troisième martini, que Gaëlle doit avoir déjà avalé. Dans sa tête, les remarques crues de sa copine dansent une chorégraphie bizarre et troublante. Pourquoi a-t-elle parlé de vies ratées ? se demande-t-elle. Celle de Nath, c'est sûr, est un peu compliquée depuis son divorce. Mais ça passera. Elle rencontrera bien quelqu'un qui saura la comprendre et lui donner l'amour qu'elle mérite. Et Gaëlle, avec sa Porsche et ses voyages internationaux, la jet set et tout ça ? Comment sa vie serait-elle un échec ? Elle accumule les succès au contraire !

Une légère neige s'est mise à tomber. Sophie met en marche les essuie-glaces.

— Alors elle parlait de la mienne ? se demande Sophie, arrêtée à un feu rouge, derrière un VUS familial.

Dans la nuit, elle observe les lumières des maisons. Partout, la même vie de banlieue, confortable, rassurante et complètement vide. Des gens sûrs d'eux-mêmes, réellement concernés par l'état du gazon, l'entretien de la piscine creusée et les promotions chez Jean Coutu. Sophie ouvre la radio. C'est l'heure des demandes spéciales.

Kurt, dévoré par ses éternelles études et ses interminables discussions de salon, assume financièrement grâce à l'héritage paternel. En échange, elle apporte la douceur de sa présence et se dévoue entièrement au bien-être de son foyer... C'est ça, la vie qu'elle a choisie. Un *deal* où chacun est à sa place et dont personne ne sort, sous peine de rompre le sacro-saint cercle de famille. Un choix. Quelque chose que toute la société a décidé d'appeler l'amour. C'est peut-être une erreur de vocabulaire. N'est-ce pas pourtant ce qu'elle a toujours voulu ? N'est-ce pas cette image qu'elle a sans cesse poursuivie depuis son adolescence, toujours à suivre les couples royaux, les cérémonies télévisées, les traînes interminables des duchesses de toutes sortes dans un monde plus proche de Walt Disney que de Laval ?

Elle se sent soudain comme un désodorisant Glade dans une chambre à coucher. Rien de très concret. Un léger parfum dans la vie des autres... Le feu passe au vert, elle monte sur l'autoroute déserte. Elle touche son pendentif nerveusement puis éteint la radio. *Une chance qu'on s'a*, *L'amour existe encore*, *J't'aime tout court*. À quoi bon ces sortes d'anxiolytiques légers qui n'effacent aucune angoisse ? Entendre des chansons d'amour du matin au soir, ça finit au contraire par persuader Sophie qu'elle vit dans un cauchemar.

Quelques minutes plus tard, elle arrête la Volvo devant la maison Mayfield, encore plus lugubre dans cette nuit d'automne. Surtout quand sa propriétaire, déjà vêtue de son manteau de vison, attend sur le seuil. Une vision d'horreur, en fait.

Le début d'un film de Stephen King.

Sophie tressaille en apercevant la silhouette obscure de sa belle-mère, tache noire dessinée derrière la porte vitrée: pour la première fois, elle a commis intentionnellement un crime de lèse-majesté.

— Alors c'est comme ça que tu me remercies de t'avoir rendu service? Je t'ai laissé au moins vingt messages...

\- - - - -

Sophie, loin de ses amies, a moins de force. Elle n'a pas le courage d'affronter celle qui lui fait face.

— Je n'avais plus de batterie, désolée, murmure-t-elle en serrant son téléphone éteint par Gaëlle.

Le menton toujours surélevé pour compenser sa petite taille, Mme Mayfield ressemble à un lama. Elle a cet air méprisant pour ceux qui n'appartiennent pas à son espèce et semble toujours mâcher quelque chose, généralement une phrase méchante qu'elle crachera dès que possible.

— Un bridge, ça n'attend pas, tu saurais ça si tu étais Anglaise. Bref, ta progéniture est prête à partir.

Dans le vestibule, les enfants qui attendaient leur mère se jettent vers elle en bousculant leur grand-mère. Pour eux aussi, cette femme est un animal aussi bizarre que dangereux. Et c'est à cause d'elle qu'ils portent ces prénoms pleins de prétention en hommage aux membres de la monarchie britannique : William, Élizabeth, Diana et Charles.

Emmitouflés dans leurs habits de neige depuis trente minutes, ils transpirent à grosses gouttes et se précipitent dans la voiture pour échapper à l'œil mauvais de la vieille dame.

— Tu vois ? Ils me marcheraient sur le corps s'ils pouvaient !

— Mais non, répond Sophie en claquant la portière derrière les enfants. Ils vous aiment beaucoup, ils sont sûrement fatigués, tout simplement.

Elle s'approche de sa belle-mère pour lui dire au revoir, mais celle-ci a déjà ruminé sa prochaine agression. C'est dans son métabolisme.

— Tu devrais mieux t'occuper de Kurt, je suis effrayée de sa maigreur. On dirait que tu ne lui donnes rien à manger.

— Madame Mayfield, je vais...

Mais elle n'a pas le temps de laisser Sophie prononcer ses dernières syllabes. Un bridge, ça n'attend pas. Elle vient de le dire et a déjà tourné le dos.

\- - - - -

Dès qu'elle a mis les pieds dans son luxueux condo de Brossard, Gaëlle s'est précipitée devant le miroir de l'entrée qui lui a confirmé la mauvaise nouvelle déjà pressentie dans son rétroviseur :

— Des pattes d'oie !

Elle couvre son visage de ses deux mains et court vers la salle de bain où elle s'empare de la crème antirides qu'elle utilise depuis qu'elle a vingt ans. Son regard est alors attiré par une note laissée par son mari sur le comptoir du lavabo en granit : « *Je rentrerai tard ce soir, mon amour. Si tu veux me joindre, je suis au bureau. Mes parents voudraient que nous allions déjeuner chez eux demain matin avant ton départ. P.-S. Ne refuse pas stp, je t'aime.* »

— Ah merde ! Pas un déjeuner chez la belle-mère ! J'en vomis déjà ! s'écrie-t-elle en se massant les tempes.

Ce n'est pas qu'elle déteste Margareth Nau. Mais cette belle-mère haïtienne, aimante et chaleureuse, attend depuis cinq ans ce qui n'arrivera jamais, « ni par les voies naturelles ni par celles de Dieu lui-même », comme elle le lui a si souvent répété. Pourtant, elle ne veut pas l'entendre : n'importe quelle occasion, n'importe quel repas, n'importe quel appel lui sont prétextes pour revenir sur le sujet. Les voies de Dieu sont sans doute impénétrables, mais celles de Gaëlle semblent adorer le contraire, alors pourquoi ne livrent-elles aucun fruit ? se demande en permanence Margareth. Et cette obsession a fini par déteindre sur le goût des mets qu'elle sert, des cadeaux qu'elle fait et même sur le plaisir que Gaëlle pourrait prendre à sa présence, car elle éprouve pour elle une véritable affection.

Oui, Gaëlle comprend que, pour bien des Haïtiennes, une femme ne le devient pleinement que lorsqu'elle est mère ; qu'une descendance est un bâton de vieillesse, que c'est d'ailleurs grâce à l'aide généreuse de son mari que ses parents ont acquis leur première propriété à Saint-Hubert il y a quinze ans. Elle a compris tout ça, et un million de fois plutôt qu'une. Elle connaît par cœur les Dix raisons d'avoir un enfant, les Neuf joies de la maternité, les Sept bénédictions de l'allaitement, le montant des allocations familiales et les abattements fiscaux pour famille nombreuse. Elle a subi ce cours pendant des heures au-dessus des bananes plantains et des odeurs de hareng, dans la fumée des saucisses de barbecues, devant cinq dindes de Noël, et si elle va à ce repas, ce sera de nouveau pour entendre cette messe. Elle n'en peut plus.

Mais Jean-Robert, le cadet, adore ses parents : ils ont fait d'énormes sacrifices pour qu'il fréquente les meilleures écoles et obtienne son diplôme universitaire en finances. Ils ont investi leur petit salaire dans l'éducation de leurs trois enfants, épargné sur leurs plaisirs pour payer le nécessaire. Grâce à leurs efforts, Jean-Robert est devenu un homme d'affaires prospère et reconnaissant.

Mais c'est non, conclut-elle en examinant son mascara. La maternité est un poids dans le ventre, un fardeau sur les épaules et des vergetures sous le nombril. D'ailleurs comment ferait-elle avec sa compagnie ? Comment fait-on avancer ses affaires internationales en poussant une poussette ?

— Juste à y penser, j'hyperventile !

- - - - -

Belœil. Nathalie n'entend même pas le rap qui fait vibrer les murs du bungalow, Nathan et Noah qui se disputent le Xbox, et le générique saturé d'*Assassin's Creed*. Quand on élève des ados, on développe une écoute sélective.

Et quand elle trébuche dans le bordel, c'est à peine si elle le réalise. Car elle n'a qu'un seul objectif, au-dessus des enfants, des chaussures qui traînent, des fils emmêlés, des examens à corriger, du repas, de la douche, et de l'heure de dormir : atteindre les deux comprimés homéopathiques au romarin qui l'attendent dans la petite armoire blanche de la cuisine et prendre un verre d'eau.

« C'est la faute aux martinis », pense-t-elle.

Elle n'aurait pas dû boire le verre de Sophie.

Ou la faute à la vie qu'elle est occupée à rater, comme dit Gaëlle. Trop de questions, déjà.

— J'ai faim !

— Moi aussi ! renchérit Noah.

Comment deux jumeaux de quatorze ans, qui ne font à peu près rien de leur vie, peuvent-ils avoir tellement faim ? se surprend-elle à penser.

— Comment ça, y a rien à manger ? J'ai fait l'épicerie hier !

— Y a plus de pain, ni de jambon, ni de fromage ! Noah a tout bouffé, c't'un ogre !

— Et Nathan a mangé toutes les pizzas Pocket !

— Est-ce que j'ai le droit d'enlever mon manteau avant de m'occuper de vous ? demande leur mère après avoir avalé une gorgée, en déposant le verre d'eau sur le comptoir.

— J'vais appeler grand-maman, elle va nous amener du McDo ! Elle a dit qu'on peut l'appeler n'importe quand.

— Ta grand-mère n'est pas livreur de McDo. Pourquoi vous ne mangez pas les lasagnes que j'ai préparées ?

— Y en a plus !

— Vous avez déjà *tout* mangé ?

— Ben oui, on avait faim…

— Et vous avez *encore* faim ?

Le plat devait durer deux jours et elle n'a encore rien avalé. Il y a des moments où Gaëlle a raison, à propos des enfants.

— Si vous avez faim, prenez un bol de céréales! Là, je suis brûlée et j'ai des travaux à corriger.

— OK mais on mange quoi?

— Un bol de...

Elle s'arrête net.

Ils ont très bien entendu. Elle vient de dire « un bol de céréales ». Pourquoi font-ils semblant d'être complètement abrutis? Elle reprend son verre d'eau et le pose furieusement sur le comptoir, mais il glisse et se fracasse sur le sol.

Nathalie pousse un cri de colère.

Les enfants, dans le salon, arrêtent leurs jeux.

— Coudonc, qu'est-ce qu'elle a? demande Noah.

— J'sais pas... c'est sûrement ça, la ménopause.

— Non, Nathan, c'est pas ça. C'est ses règles.

CHAPITRE 3

Margareth, vêtue de sa longue tunique aux motifs africains avec foulard assorti, dépose précautionneusement les bananes plantains bouillies du samedi matin à côté du hareng en sauce et de la salade de tomates et cresson. Fritz, son mari des quarante-cinq dernières années, feuillette tranquillement les pages d'actualités de *L'Haïti Observateur*.

— Le président Martelly a fait des rénovations à l'aéroport international Toussaint-Louverture, annonce-t-il du salon. De toute beauté !

— Ne me parle pas de ce pantin ! répond sa femme de la cuisine. Il y a plus urgent à faire que de rénover un aéroport.

— Comme quoi par exemple ? demande Jean-Robert, surgissant dans le salon avec Gaëlle. Lui construire un nouveau palais ?

— Bonjour, messieurs dames ! s'exclame Fritz, tout sourire, en se levant de son fauteuil. Jean-Robert, Haïti attend un homme comme toi pour gérer ses finances, je te l'ai toujours dit !

— Bon, le beau-père qui parle encore de politique ! commente Gaëlle d'un ton moqueur et affectueux, derrière ses lunettes noires à la Jackie O. Le jour où les Haïtiens ne parleront plus politique, Haïti se portera beaucoup mieux...

— Bravo, Gaëlle, bien dit ! l'encourage Margareth, sourire aux lèvres, en venant les embrasser. Venez vous asseoir à table, c'est prêt. Il y a des sujets de conversation beaucoup plus intéressants.

Gaëlle prend place à côté de sa belle-mère. La table nourrirait des familles entières. Margareth craint toujours qu'il n'y en ait pas assez pour quatre, alors elle prépare pour trois fois plus.

— Tu sembles fatiguée, cocotte, tu as mal dormi ? questionne Margareth en se servant de la salade.

— Non, pas vraiment, mais ces derniers jours, je ne sais pas pourquoi, je me sens complètement brûlée, je travaille trop.

Gaëlle se rend compte qu'elle vient de tomber dans le piège tendu par sa belle-mère. Elle change de sujet.

— Il est beau, le nouvel aéroport ? demande-t-elle au père de Jean-Robert qui s'empiffre de hareng.

Autant Margareth est intrusive et insistante sur la question de la progéniture, autant Fritz Nau, plutôt débonnaire, laisse faire à ses enfants ce qu'ils veulent. D'ailleurs, il adore Gaëlle qui lui rappelle la jeunesse de sa femme, car elle a les mêmes emportements et le même franc-parler. La paix dans les ménages, à n'importe quel prix, est son idéal sur Terre, et elle commence, selon lui, par s'occuper uniquement de ses propres affaires.

— Tu as toujours travaillé trop, poursuit Margareth en prenant le ton le plus naturel possible, car toutes les Haïtiennes sont de grandes dramaturges.

Gaëlle fait mine de ne pas entendre et maintient un contact visuel avec son beau-père en le suppliant intérieurement de finir sa bouchée avant que Margareth n'arrive là où elle veut en venir depuis le début.

— Une splendeur ! Il y a des banques, des bars, des boutiques... On dirait Orly !

— Peut-être que..., lance Margareth, qui a compris l'esquive de Gaëlle.

Celle-ci regarde Jean-Robert et lui donne un coup de pied sous la table. Il faut qu'il l'aide.

— Peut-être qu'il faudrait plutôt investir l'argent dans les hôpitaux avant de le jeter par les fenêtres pour impressionner les Américains, improvise-t-il rapidement, comprenant que la petite chamaillerie a commencé.

— Gaëlle, peut-être que..., continue la belle-mère.

La belle-fille dépose ses couverts et prend une grande respiration.

— Que quoi ? demande Gaëlle, prête à l'affrontement.

— Peut-être que... c'est l'hiver, répond Margareth.

— Quoi, c'est l'hiver ? En Haïti ? lâche Fritz. De quoi tu parles, Margareth ? Gaëlle, peux-tu me passer la salade ?

— Non, je disais... peut-être que Gaëlle est fatiguée à cause de l'hiver.

— L'hiver n'est pas dangereux pour les Blancs, commente Fritz en remplissant son assiette, très conscient de la mauvaise tournure de la conversation.

— Ce ne serait pas déjà la ménopause quand même ? réplique sa femme, en faisant semblant d'être effrayée.

— Maman, s'il te plaît ! l'interrompt Jean-Robert.

— Mais qu'est-ce que j'ai dit ?

— Comment veux-tu que Gaëlle soit ménopausée à trente-neuf ans ? Sérieusement...

— Ça va si vite, tu sais... On croit qu'on a toute la vie devant soi... Et puis hop, on devient vieux ! N'est-ce pas, Fritz ? ajoute-t-elle en regardant son mari droit dans les yeux, faisant apparaître aux yeux de tous un contentieux jusque-là resté intime.

Celui-ci comprend aussitôt que s'il n'abonde pas dans le sens de sa femme, elle en profitera pour révéler des détails qui ne regardent personne.

— C'est vrai ça, Jean-Robert, s'empresse-t-il d'ajouter, la bouche pleine de cresson. Comment se fait-il que tu n'aies pas encore fait un enfant à cette beauté ? Tu n'as pas l'impression de tirer dans le vide ?

— Vous n'allez pas vous y mettre aussi ? rétorque Gaëlle d'un air agacé.

— Franchement, papi..., renchérit Jean-Robert.

— Mais qu'est-ce qu'il a dit ? demande Margareth. Alors on ne peut plus parler en famille ? Prends du hareng, Jean-Robert. Ça donne du cœur à l'ouvrage.

Les deux hommes échangent rapidement un regard. Ils comprennent qu'aucune de leurs femmes ne lâchera l'affaire.

— Comme ça, tu pars ce soir pour la Ville Lumière ? lance Fritz, qui veut retrouver sa place en zone neutre.

— Oui, répond Gaëlle, encore tendue. J'ai des clients à rencontrer.

— Tu devrais l'accompagner, Jean-Robert, dit Margareth en s'appliquant à avoir l'air de suggérer et non de s'ingérer. Elle se sentirait moins seule.

— Oh, mais Gaëlle n'a pas le temps de s'ennuyer lorsqu'elle part en voyage d'affaires. Elle est même beaucoup trop occupée pour me téléphoner! reprend Jean-Robert en riant, content qu'on s'éloigne enfin du sujet de conflit.

— Qu'est-ce que tu veux dire, Jean-Robert? s'insurge Gaëlle en essayant de contenir son agacement. Je ne veux pas te réveiller, c'est tout.

— Vous pourriez passer quelque temps ensemble, un séjour d'amoureux..., continue Margareth.

— OK, j'ai compris, conclut Gaëlle en repoussant sa chaise pour se lever.

Puis, regardant sa belle-mère droit dans les yeux:

— Margareth, tant que je prendrai la pilule, on peut faire l'amour à Venise, à Paris, à Tombouctou, à Las Vegas ou à Sainte-Thérèse, ce n'est pas ça qui...

— Ce n'est pas du tout ce que je voulais dire, Gaëlle! s'empresse d'ajouter Mme Nau, tout sourire, peu impressionnée par le tempérament volcanique de sa belle-fille, car elle a connu des catastrophes naturelles en Haïti. Tu prends toujours tout mal! Allez, mange un peu. Tu dois t'alimenter correctement. C'est important le fer, les légumes verts, le riz... Fritz, tu as terminé? demande-t-elle en tendant la main pour prendre l'assiette.

Elle se lève et part à la cuisine avec l'air de l'Innocence violée par les sept péchés capitaux.

— Tiens, pendant que j'y pense, crie-t-elle de loin dans un bruit d'assiettes, j'ai une excellente nouvelle à vous annoncer. Carline est enceinte !

— Encore ? C'est son quatrième ! Wow !

— Tu n'es pas contente pour ta belle-sœur, Gaëlle ?

Elle revient près de la table avec un gâteau renversé aux ananas pour vingt-deux personnes.

— Allô l'esclavage et les seins en queue de castor après l'allaitement...

— Chérie, s'il te plaît, arrête, intervient Jean-Robert. C'est pas nécessaire, ce genre de commentaire. C'est un peu désagréable pour ma sœur. En plus, ils sont des gens exemplaires. Je les envie...

— Arrête de dire des « gensses » comme s'il y avait plein de *s*. Tu sais que ça m'énerve. Et, en plus, je dis ce qui me plaît, rétorque Gaëlle qui ne fait plus aucun effort pour cacher son énervement.

— Quand même, Gaëlle, ajoute Margareth, très satisfaite que son fils vienne de basculer de son côté, tu ne peux pas comparer le bonheur de fonder une famille avec ton problème de poitrine de castor... Ça tombe de toute façon, tu verras.

— D'ailleurs, les castors aussi ont une famille, conclut Fritz en tirant sa chaise pour se lever. Jean-Robert, peux-tu venir deux minutes ? J'ai reçu des papiers de la banque, précise-t-il en regardant son fils avec l'air que prennent les hommes quand ils sentent que leurs femmes vont faire un scandale.

Ils quittent la table, laissant Gaëlle seule avec sa belle-mère.

— Cocotte, reprend Mme Nau en se rapprochant de Gaëlle, très maternelle. Tu sais que je ne suis pas du tout du genre à m'immiscer dans votre vie privée. Suggérer mais non s'ingérer, tu connais ma devise. Mais cette nouvelle naissance dans la famille interpelle Jean-Robert, je le sens...

— Margareth, je...

— Je sais, je sais, je sais ! continue-t-elle en posant sa main sur le bras de sa belle-fille comme sur un détonateur délicat qu'un souffle peut déclencher. Je comprends et je respecte le fait que ce n'est pas ton souhait, que tu as beaucoup de travail et tout et tout. Je veux juste te dire que ton mari t'aime, vous avez une relation stable, de très bons revenus, un toit... et je suis là pour vous aider.

Gaëlle penche sa tête au-dessus de la table, et la serre entre ses mains. Elle parle d'abord imperceptiblement :

— De un, je n'ai pas envie de partager mon mari avec un enfant. De deux, il n'y a pas de chambre fermée au condo, c'est un loft à aire ouverte... De trois, si Jean-Robert voulait tellement un enfant, il m'en parlerait et il ne le fait jamais.

Margareth veut intervenir. Gaëlle la coupe. Elle s'est levée :

— Anyways, je ne suis pas prête ! J'ai pas ce besoin de me reproduire sempiternellement... Les enfants, ça pleure, ça bouffe et ça défèque ! Ensuite ça vieillit, pis ça chiale et ça bouffe tout ton argent ! Wow ! Merci, mais non merci !

— Mais donner la vie, c'est tellement beau, tellement valorisant ! Je ne me sentirais pas complètement femme si je n'avais pas eu mes trois enfants. Ils sont ma raison de vivre.

— Excuse-moi, Margareth, mais je ne veux plus en parler. Avec tout le respect que je te dois, j'ai des nausées simplement à t'écouter. D'ailleurs, j'ai trop mangé. Tu aurais un laxatif ? Je n'ai pas envie d'avoir le ventre gonflé dans l'avion.

Margareth, atterrée, marque le coup. La vulgarité, constate Gaëlle, il n'y a que ça de vrai.

- - - - -

La mine courte, les cheveux ébouriffés et les yeux gonflés, Nathalie accueille sa belle-mère après une nuit très brève. Celle-ci l'entoure de ses bras aimants.

— Je suis venue t'enlever les garçons pour le weekend. Ça ne te dérange pas ?

— Pas trop..., répond la mère exténuée en souriant quand même.

— Mon Dieu que tu es belle ! Tu es comme la nature, admirable en tout temps !

Elle pénètre dans le bungalow pendant que Nathalie appelle les enfants. Elle est bonne comme le pain, Ginette. Pétrie de valeurs québécoises, un peu gonflée par un manque d'affection qu'elle compense au Saint-Hubert, elle a passé sa vie à aider les autres.

— Je compte acheter un nouveau manteau à Noah, sa manche est déchirée. Ça ne t'ennuie pas, j'espère ? Je ne veux surtout pas m'imposer...

— Jamais tu ne m'ennuieras, Ginette, dit Nathalie en la reprenant dans ses bras. Je ne sais pas ce que je ferais sans toi.

— Quand on a un fils comme le mien, on doit travailler pour deux, qu'est-ce que tu veux !

Elles se bercent quelques secondes l'une l'autre, réconfortées par leur mutuelle tendresse. C'est à des moments pareils qu'elles pensent quand rien ne va plus. Un instant d'affection qui sert à nourrir beaucoup de détresses à venir.

— Tu as de ses nouvelles ? demande Nathalie en desserrant son étreinte.

— Pas vraiment. Il ne m'appelle que lorsqu'il a besoin de quelque chose... Son père était comme ça aussi, c'est génétique...

— Ton fils te manque, Ginette ?

— Ah, Nathalie ! Oui, il me manque... Le Vincent qui était avec toi me manque terriblement ! L'imbécile de fils qui ne donne pas de nouvelles et se vautre dans ses hommeries, il ne me manque pas vraiment, par exemple ! Ils arrivent, les enfants ? Nathan ! Noah ! Grand-maman est là !

Puis, se retournant vers sa belle-fille, d'une voix tendre :

— Et toi, Nathalie ? Est-ce que tu t'en remets ?... de ce qu'a fait cet imbécile ?

On entend accourir les enfants avec des cris.

— Tu sais, Ginette, depuis quelque temps, je me demande si je ne suis pas en train de rater complètement ma vie... ma vie de couple, c'est sûr... ma vie familiale, c'est presque sûr... ma vie professionnelle... Tu parlais des deux Vincent... Je crois que je suis en train de payer le prix de mon mensonge à la Nathalie que je n'ai pas écoutée... quand j'avais vingt ans... Tout aurait été si différent si j'avais cru dans mon choix de rester à...

— Mais qu'est-ce que tu me chantes là, Nathalie ? demande Mme Lamoureux, inquiète devant le visage devenu si mélancolique de Nathalie.

Elle attire sa belle-fille dans la cuisine pour lui parler, mais les enfants sont déjà là, très vivants pour des morts de faim.

— Tu nous emmènes au McDo, grand-maman ? On a faim !

Ils tirent leur grand-mère vers la porte comme si elle était un buffet.

— Je t'appelle, ma chérie. On va en parler. Essaie de te reposer !

Les cris s'éloignent du bungalow. Nathalie ferme la porte et se retourne vers le couloir rempli de jouets brisés et de chaussons dépareillés.

- - - - -

Retour de voyage.

Café Asada. Nathalie, les cheveux tirés en arrière, a l'air d'une amazone. Sophie, dans un gilet de laine grise qu'aurait pu porter Mme Mayfield, ressemble à une religieuse en civil. Les deux femmes attendent, martini à la main, l'entrée sublime de Gaëlle. Si on accumulait ses minutes de retard depuis vingt-cinq ans, elle retarderait de deux ans et demi.

— Plus capable, j'en peux plus !

— Bon, qu'est-ce qui se passe encore ? questionne Nathalie, que cette agitation permanente distrait de ses propres angoisses. Raconte ! ajoute-t-elle en rapprochant sa chaise de la table pour mieux profiter du spectacle.

Gaëlle dépose ses nombreux sacs sur le siège voisin, puis ôte son manteau en cachemire Gucci. Elle est splendide dans son jumpsuit noir, serré par une ceinture dorée. À la voir si rayonnante, on ne pourrait la croire si vulgaire.

Sophie est éblouie.

— On gèle ! Je déteste l'hiver, la neige, Noël, les anges dans nos campagnes et la slotche sur nos trottoirs. Il faut que je déménage aux Bahamas, d'ailleurs les paradis sont toujours fiscaux. Anyways, finit-elle en s'asseyant, quoi de neuf, les filles ? Le bilan de la semaine ! T'as des cernes, Sophie, qu'est-ce qui se passe ?

— C'est Charles, répond Nathalie pour elle. Il est dans sa phase du *terrible two*. Il refuse de dormir seul dans sa chambre et passe son temps à la réveiller la nuit.

— Ah non, tu me niaises ? rétorque Gaëlle en rejetant une longue mèche en arrière afin d'attirer le regard d'un client qui ne l'avait pas encore admirée. En plus, tu l'allaites encore, Sophie, t'es vraiment folle ! J'veux bien croire que le lait maternel, c'est mieux, mais à deux ans, il doit t'arracher les mamelons avec ses dents de vampire. Faut que tu coupes le cordon, ma grande.

— Le lait maternel comporte de nombreux bienfaits et je n'ai jamais imaginé que mes seins puissent servir à autre chose que nourrir mes bébés, réplique calmement Sophie qui a passé ses grossesses à lire des ouvrages pédiatriques.

— Pour toi, des seins, c'est pas sexuel ? demande Nathalie.

— C'est n'importe quoi, ton affaire! continue Gaëlle en vérifiant subtilement son allure dans le reflet d'une fenêtre. Perso, juste à penser à l'idée qu'un enfant se sert de ma poitrine comme tétine, ça m'écœure! Pis anyways, lorsqu'il débarque dans votre chambre sans cogner, ça doit multiplier les coïts interrompus... Ouache!

— Il n'y a pas juste la sexualité dans un couple, Gaëlle my dear...

— T'as raison, y a l'argent, répond Gaëlle en cherchant sa vapoteuse. Parlant de cash, Nathalie, la vidange a-t-elle versé sa pension?

— Bien sûr que non! Ça m'aiderait si tu arrêtais de me poser la question chaque fois que tu me vois. Ça ne fait que retourner le couteau dans la plaie. Ginette est toujours là heureusement... Quant à moi, depuis qu'on s'est vues la dernière fois, je suis en grande réflexion sur ma vie, mon travail... Vincent... Je vous raconterai quand je serai prête mais pour l'instant, j'aimerais que...

— Les graines reposent dans le terreau, oui, on sait... Les grandes remises en question de Nathalie Clément sont toujours silencieuses. Et toi, Sophie, la Castafiore continue toujours à te faire chier?

Sophie baisse les yeux et joue nerveusement dans son martini avec son pic. Le litchi tombe dans le fond du verre.

— Elle a décidé d'organiser le quarantième de Kurt et refuse que je m'en mêle...

— Si elle pouvait baiser avec son propre fils, elle le ferait, maudite folle ! Sa divinité de fils est encore en plein complexe d'Œdipe. C'est pas normal, leur relation fusionnelle, c'est hyper malsain !

— T'exagères un peu quand même.

— Vous ne voulez entendre aucun de mes commentaires ou quoi ? Bon, j'ai compris, on passe donc au seul sujet vraiment intéressant de la soirée : Moi !

— Comment s'est passé ton voyage ?

— Super bien ! J'ai signé un gros contrat avec Cartier qui veut ouvrir un méga magasin à Montréal. Tiens, continue-t-elle en fouillant dans un de ses sacs, justement, je vous ai rapporté du parfum et un petit bracelet en or pour chacune de vous deux. Gracieuseté de la maison. Attendez que je les trouve...

— T'es vraiment gentille, Gaëlle ! As-tu eu le temps de t'amuser un peu ? interroge Nathalie.

— Oh que oui ! Justement les filles, j'ai quelque chose à vous confier...

— Bon, qu'est-ce que tu as encore fait ? demande Sophie, intriguée.

Elle croque dans son litchi tout en regardant son amie plonger ses mains dans deux sacs luxueux noir et or.

— D'abord, les cadeaux...

Elle dépose devant chacune de ses amies deux paquets emballés dans des papiers rouges ornés du sigle Cartier. Gaëlle a l'art consommé d'offrir aux autres des cadeaux en ne pensant qu'à elle. L'année dernière, elle avait donné un film pornographique à Sophie et une trousse de maquillage à Nathalie parce qu'elle avait des problèmes avec Jean-Robert et qu'elle se trouvait laide. Sophie examine le bracelet en pensant à le donner aux pauvres.

— Ça vous fait plaisir, j'espère ? Ça ne m'a rien coûté...

Gaëlle dépose quelques gouttes d'un parfum très fort sur son poignet. Maintenant, plus personne ne pourra ignorer qu'elle est là.

— Tu t'es acheté un nouveau pendentif ? demande Sophie en remarquant une chaîne en or au cou de Gaëlle à laquelle est attaché un grand C serti de pierres brillantes.

— Je crois que je vis un coup de foudre... C'est ce que je voulais vous dire. J'ai rencontré un gars lors de la soirée chez Cartier... Beau, grand, raffiné avec un accent français en plus. Ça m'excite à mort !

— Et son prénom commence par C ?

— C ça, t'as tout compris ma fille... C'est mon super C ! Let's drink to that !

Sophie, hésitante, lève à peine son verre.

— Ne me dis pas que vous avez eu une relation sexuelle ? T'es mariée quand même, Gaëlle ! Les vœux de mariage prononcés devant Dieu...

— On se calme, mère Teresa. Non, je n'ai pas couché avec lui... Pas parce que je ne voulais pas, mais parce que j'étais menstruée, maudite marde !

— Franchement, Gaëlle, glisse Nathalie, est-ce que tu ne prends pas un grand risque avec Jean-Robert ? Tu ne vas pas t'y mettre, toi aussi ! Est-ce que trente secondes d'orgasme valent la peine de foutre la merde dans dix ans de vie commune ?

— Bon, bon, bon... un autre sermon sur les valeurs morales ! Merci, les filles, mais, à mon âge, ce n'est vraiment pas nécessaire. Anyways, j'aurais dû fermer ma gueule et ne rien vous dire. De toute façon, il ne s'est rien passé mis à part, bien entendu, que j'ai mis ma langue dans sa bouche entre deux coupes de champagne ! s'esclaffe Gaëlle. C'était génial.

— Je ne sais pas comment tu peux vivre avec ça sur la conscience, reprend Sophie, caressant son pendentif comme à son habitude. C'est tellement un manque de respect envers l'autre...

— Ah, parce que toi, on te respecte, peut-être ?

— Qu'est-ce que tu veux dire, Gaëlle ? De quoi tu parles ?

— Je parle de ta vie, Sophie Langlois. Ta belle-mère t'emmerde, ton mari se fout de toi et tes enfants te tourneront le dos aux premiers boutons d'acné. À part ça, la vie est belle.

— Tandis que toi, bien sûr, quand Jean-Robert aura appris ta liaison, il te prendra dans ses bras et t'emmènera chez Cartier ? lance Nathalie en lui montrant le bracelet qu'elle vient de lui offrir

— Mais qu'est-ce que vous avez, toutes les deux, contre moi ? Pour une fois que je m'amuse ! Ce qu'on ne sait pas ne fait pas mal. Jean-Robert ne sait rien et ne saura rien.

— Non, mais, toi, tu le sais, dit Sophie, fermement encouragée par l'appui de Nathalie.

— Je sais une chose. C'est que je ne suis pas venue sur Terre pour me sacrifier et mourir en croix. Je ne m'appelle pas Sophie Langlois. Mais toi, il y a des moments où tu devrais t'appeler Gaëlle Simard. Ça te ferait un bien fou. C'est vrai, ça ! Pourquoi tu ne joues pas à être moi ? « Si j'étais Gaëlle... »

Sophie secoue la tête, à la fois amusée par les répliques cocasses de Gaëlle, déconcertée par leur manque de moralité et légèrement ébranlée par la part de vérité qu'elles contiennent. C'est vrai qu'elle est peut-être trop engoncée dans son personnage. Mais comment fait-on pour sortir de soi ? C'est comme vouloir quitter Montréal à 17 h : c'est bouché partout.

— Alors tu as vraiment l'intention de garder contact avec ton nouvel Adonis parisien ? questionne Nathalie.

— Bien sûr ! Mon égo est tellement flatté, ça me fait un bien fou. Il me désire, il m'attire, il m'excite... Il suffit qu'il me regarde pour que je mouille. Mais avant notre prochaine rencontre, j'ai besoin d'une shot de Botox... Maudit que j'ai l'impression de rider comme un raisin sec, je capote !

— Toi, tu te ferais refaire complètement pour continuer de plaire !

— Bien entendu ! C'est ce que je viens de te dire, Sophie. Au lieu d'être coincée dans ton petit personnage de banlieusarde ben correk, toi aussi tu pourrais te refaire complètement. Achète-toi une paire de boules, des cheveux, un nouveau cul... On peut tout refaire aujourd'hui et t'as l'argent en plus.

— Même si tu ne te ressemblais plus ? poursuit Sophie.

— Ça veut dire quoi, se ressembler ?

— Être... fidèle à soi-même, balbutie-t-elle, peu sûre d'elle.

— Encore la fidélité ? Mais je ne m'appelle pas non plus Fido, Sophie ! Je n'ai pas de maître ! M'as-tu déjà vue me maîtriser ?

— L'infidélité fait beaucoup souffrir les autres, Gaëlle, crois-en mon expérience, déclare sérieusement Nathalie. C'est peut-être le fun, ton affaire, mais si Jean-Robert apprend que tu l'as trompé... Il faut des années pour s'en remettre.

— Tu as raison, Nath. C'est pour cela que je ne lui dirai rien. Commandons d'autres martinis, question de célébrer mon futur amant !

CHAPITRE 4

À bout de souffle, Nathalie longe le corridor ciré de la polyvalente Maurice-Duplessis. Un tunnel, en réalité. Un tunnel gris vers une vie obscure, pavé de bonnes intentions, de peu de moyens et de nombreux discours pédagogiques. Pendant toutes ces années, elle s'est persuadée comme ses collègues qu'elle contribuait à l'édification d'une société meilleure grâce à l'éducation... Elle était fière, même, d'avoir marché sur ses aspirations profondes pour faire sa part. Il lui semblait que ce sacrifice prouvait sa détermination.

Mais s'il démontrait, au contraire, son incapacité à faire face à sa propre vérité et à assumer complètement qui elle est, loin des dogmes et du jugement des autres ? Si cette prétendue abnégation ressemblait à celle de Sophie, qui n'est que de la peur ?

Elle entre dans la salle des professeurs, toujours aussi déprimante avec ses Post-It de pensées positives collés par les nouveaux enseignants.

La secrétaire se précipite vers elle et lui tend une note urgente. Encore une qui est persuadée de participer à l'édification d'un monde nouveau. C'est elle qui affiche des portraits du dalaï-lama dans la salle de gymnastique.

Nathalie s'assied et examine la note. On lui demande de rappeler immédiatement une Mme Tremblay à l'école de ses fils. En saisissant son cellulaire, elle constate qu'elle a manqué plusieurs appels.

Elle compose nerveusement le numéro.

— Bonjour, madame Clément, répond la voix déjà sévère d'une responsable pédagogique, que Nathalie devine pleine de certitudes. Il s'est passé quelque chose de grave avec vos fils. Vous devez venir à l'école le plus vite possible.

Nathalie serre le téléphone contre son oreille, la main tremblante.

— Que s'est-il passé ?

— Je ne peux pas vous expliquer ça maintenant, madame Clément. C'est personnel.

— Y a-t-il eu un accident ? Ils n'ont rien au moins ?

— Ils sont en bonne santé si c'est ça que vous vouliez savoir, répond la responsable, sentant la panique de son interlocutrice.

Puis, prenant un ton solennel :

— Ils sont accusés de vol et d'intimidation. Conformément au règlement de l'école, vous devez venir les chercher.

— Vol et intimidation ? répète la mère des jumeaux, à la fois soulagée et désorientée. Écoutez, je suis en plein travail à mon école, je ne peux pas partir comme ça. Est-ce que vous êtes sûre que mes enfants ont...

— Noah et Nathan ont battu un de nos élèves et lui ont pris son argent. C'est la troisième fois que cela se produit. Nous devons les exclure de notre établissement.

La phrase claque comme une sentence. On dirait que les garçons ont violé la Charte des droits et libertés.

— Je comprends... De votre côté, pouvez-vous comprendre que je ne peux pas me libérer à l'instant ?

— Je suis désolée, madame Clément, continue la responsable pédagogique, semblant satisfaite de créer des embarras aux parents d'enfants difficiles pour sanctionner leur propre laisser-aller. C'est la politique de l'école. Les enfants renvoyés doivent être immédiatement pris en charge par les parents. Votre mari ne peut pas passer les prendre ?

— Mon ex-mari n'a jamais rien pu faire d'utile pour ses enfants, rétorque sèchement Nathalie. Que se passe-t-il si personne ne vient les chercher ?

— Nous sommes obligés d'avertir la DPJ qui les prend temporairement en charge. C'est le règlement de l'établissement.

— Je vous rappelle dans cinq minutes.

Devant Nathalie, dans la salle des professeurs, un grand poster du Costa Rica, offert par le professeur d'espagnol, expose une longue plage blonde léchée par des vagues. Elle le regarde, espérant y trouver un peu de calme avant de prendre une décision. Mais cette image réveille bientôt des blessures qui remontent à sa conscience. C'est dans un endroit semblable que Vincent et sa Latina ont dû s'allonger pendant qu'elle préparait des boîtes à lunch ou qu'elle courait les promotions chez Super C. Ils y sont peut-être encore, à cette minute, le corps collé de sable et de crème solaire. Elle rappelle, très énervée :

— Madame Tremblay, je vous demande de les garder jusqu'à 15 h. J'essaie de me libérer pour venir le plus rapidement possible.

— C'est impossible malheureusement. Notre établissement n'a pas de structure d'accueil pour ce genre de situation.

Le ton de la directrice pédagogique est sans appel. Nathalie sent la fièvre monter face à l'affiche baignée de soleil tropical. Cette fonctionnaire est si glaciale qu'elle a réussi à lui refiler une grippe par téléphone. Que ferait Gaëlle dans une telle situation ?

— Écoutez, dit-elle, excédée, je suis monoparentale. Vous m'entendez ? Mo-no-pa-ren-tale !

— Je suis désolée, madame Clément. Je ne peux rien faire.

Un silence troue leur conversation.

La plage du Costa Rica, calme et tranquille dans la salle des professeurs surchauffée, éclate de bonheur et de sérénité. Pour un peu, Nathalie entendrait les vagues, sentirait l'odeur de la mer et les cris exagérés qu'une Latina ne manque pas d'émettre quand elle fait semblant de jouir. Elle s'adosse à l'image, face à sa réalité : un mur gris, fade, imbibé de café réchauffé.

La voilà, se dit-elle, celle qui rêvait de la forêt boréale, d'espace et de liberté. Vingt ans plus tard, parce qu'elle s'est laissé piéger par l'amour, la jeune femme qui étudiait la biologie pour mener des recherches sur la migration des caribous enseigne dans une polyvalente minable et vit dans un bungalow bordélique.

Un désastre.

Le dos de Nathalie descend lentement le long de la plage du Costa Rica, et s'effondre silencieusement sur le sol de la salle des professeurs.

— Madame Clément, vous êtes toujours là ?

Elle est en train de rater sa vie.

Gaëlle avait raison.

— Ma belle-mère va venir prendre les garçons, répond-elle faiblement. Je vous appellerai plus tard. Merci beaucoup pour votre aide.

- - - - -

— Kurt, c'est moi, darling !

Sophie, qui vient de mettre des biscuits au four, se retourne, saisie. Mme Mayfield apparaît dans la cuisine, les bottes pleines de neige, sans un mot pour sa belle-fille.

— Bonsoir, madame Mayfield, déclame celle-ci en articulant fort pour marquer son exaspération.

— Ah, tu es là ! constate-t-elle avec son air de ruminant des hauteurs. Je ne t'avais pas vue. Kurt est rentré ?

Mais Sophie tourne le dos à sa belle-mère et se dirige vers l'évier. Elle décide de ne pas répondre. Ce matin, en se réveillant, il lui est apparu très clairement qu'elle devait changer d'attitude aussi bien avec Kurt qu'avec sa mère. Elle ne se transformera pas en Gaëlle, mais la Sophie Langlois d'autrefois, elle n'en veut plus.

À la voix de leur grand-mère, les enfants se cachent dans la salle de séjour. Charles, le plus petit, se précipite dans la cuisine et se réfugie dans la robe de sa mère.

— Charlie, viens trouver grand-mère !

Il secoue la tête en signe de refus.

— Allez, viens, mon chaton !

— Je veux pas. Ton parfum sent mauvais.

— Mais c'est vilain de dire ça, mon lapin. Viens, j'ai des arachides au chocolat dans mon sac si tu veux.

— Il est allergique. Vous avez oublié ? ironise Sophie en serrant le petit contre elle près de la cuisinière.

— Ah oui, c'est vrai, j'oubliais, note-t-elle, aucunement importunée par l'attitude distante de sa belle-fille. Plus je regarde ce petit, et plus je trouve qu'il embellit. C'est tout le portrait de Kurt. Un vrai sujet de Sa Majesté !

Sophie ne bronche pas, ferme dans sa résolution. Tant que ce lama fera fi de la politesse élémentaire, elle ignorera cet animal et ne participera à aucune conversation.

Elle se penche et ouvre le four.

— Je cherche Kurt depuis cet après-midi et je n'arrive pas à le joindre sur son cellulaire, ça m'inquiète !

Elle lève le menton dans le dos de sa belle-fille. Elle a ruminé quelque chose. En inspectant dédaigneusement l'état de propreté de la cuisine, elle lâche en effet :

— J'ai une très bonne nouvelle à lui annoncer.

Aucune réaction. Le lama s'approche, prêt à cracher :

— Sandrine est de passage à Montréal. J'organise un brunch en son honneur, il doit absolument être là.

Sophie, stoïque, referme la porte du four et diminue la température.

— Sandrine du Breuil, son ancienne fiancée, tu t'en souviens ? continue l'odieuse femme. Elle a obtenu son doctorat en médecine nucléaire de la prestigieuse université Cambridge. Un génie, cette femme! Elle a tout pour elle: la beauté, la classe, l'intelligence. Et, en plus, elle est issue d'une grande famille d'aristocrates français.

— Hello, mother!

Kurt entre, les bras chargés de bouquins, et passe devant sa femme pour aller embrasser sa mère. Il dépose les livres sur le comptoir afin que Sophie les range, et lance son manteau de chez Gieves & Hawkes sur la première chaise.

— Hello, ma chouette, glisse-t-il rapidement à sa femme en s'asseyant en face du lama. La route d'Ottawa était très mauvaise, c'est pourquoi je suis en retard. Très bonne conférence par ailleurs!

Il ne prend pas de ses nouvelles, ne s'inquiète pas des enfants et ne propose aucune aide: pour la première fois, Sophie relève l'étendue de son égocentrisme.

— Tu aurais pu me demander de t'accompagner! enchaîne sa mère en le regardant avec admiration. Nous aurions pu faire le trajet ensemble comme nous faisions lorsque tu étais petit. Tu te rappelles? Nos longues balades dans le Devon… Les collines luxuriantes, les cottages aux toits de chaume…

— Et quel bon vent t'amène, mommy dearest? demande son fils en se levant pour prendre une bière dans le réfrigérateur.

— Sandrine du Breuil.

— Sandrine du Breuil ! Qu'est-ce qu'elle a ? Elle est décédée ?

— Elle est à Montréal. J'ai pensé organiser un brunch en son honneur. Je suis sûre qu'elle aimerait bien te revoir.

— Je croyais que tu la détestais ?

Sophie sort de la pièce pour préparer le bain des enfants et ne pas exploser devant son mari et sa mère. Comment a-t-elle pu supporter ces simagrées pendant des années ? Comment accepter que son mari ne songe même pas à lui offrir quelque chose à boire, à donner le bain aux enfants, à fermer la gueule de ce lama que personne n'a invité ? Elle ouvre à fond les robinets de la baignoire pour noyer les bruits de cette conversation et, soudain, se sent étrangère dans sa propre maison.

Quand elle redescend une trentaine de minutes plus tard, elle trouve Kurt affalé dans son fauteuil devant la télévision. Les flaques d'eau laissées par le passage des bottes de Mme Mayfield ne semblent pas plus le préoccuper que la météo au Zimbabwe. Elle se plante entre l'écran géant et son mari :

— Ta mère me déteste, Kurt.

Il prend son air épuisé, cherchant l'image derrière sa femme.

— Ma belette, on en a déjà parlé mille fois. Elle ne te déteste pas personnellement. Elle déteste uniquement 99 % des femmes que j'ai fréquentées dans ma vie.

— Je ne vois pas ce que ça a de si drôle. Elle entre ici comme si elle était chez elle, elle n'enlève pas ses bottes, elle t'entretient sous mon nez de tes anciennes maîtresses si charmantes...

— Elle a quand même payé la maison, observe-t-il en saisissant la télécommande.

— Et alors ? demande Sophie, excédée, en fixant son mari.

Son corps d'habitude si flasque se durcit d'indignation.

— Elle est quand même un peu chez elle...

— Tu n'as pas compris que son argent t'étouffe, Kurt ? Je voudrais me sentir chez moi !

Elle a haussé le ton comme elle ne l'a jamais fait. Même Kurt semble s'en apercevoir.

— Dans un trois et demi ? demande-t-il, presque en la narguant. Comment ferions-nous sans elle ?

Sophie coupe la télévision. L'écran géant collapse. Tout s'écroule, de toute façon. Elle s'assied, comme si elle s'écroulait avec ce décor, puis croise ses jambes d'une blancheur spectrale sous sa robe tachée de farine.

— Comme tout le monde, Kurt. Nous aurions eu une vie normale. Tu aurais travaillé, j'aurais travaillé, les enfants iraient à la garderie, et le soir...

Elle s'interrompt, réalisant qu'elle parle déjà de son couple au passé.

Son mari se lève et s'approche d'elle. Il est bien loin de ces considérations grammaticales. Il s'agenouille à ses côtés, écarte lentement ses mèches rousses et lui chuchote à l'oreille :

— Tu t'es épilée ?

— Pourquoi tu me demandes ça ? rétorque-t-elle avec un haut-le-cœur.

— J'avais envie de toi, tout à l'heure à Ottawa... Tu sais que je n'aime pas trop les poils...

— Elle n'en a pas, des poils, ta mère ?

Elle se lève d'un bond.

Kurt sursaute presque de surprise.

— Sophie !

— J'en ai assez, Kurt, tu comprends ? J'en ai assez.

- - - - -

Clinique Fontaine de Jouvence, Westmount. Gaëlle stationne son VUS Porsche à l'abri des regards. Cachée sous ses lunettes voyantes, elle pousse la porte du cabinet du docteur Rosenthal qu'elle trouve occupé à parler avec la secrétaire. Elle se jette quasiment dans ses bras.

— Regardez mon visage ! Juste là, ici sous mes paupières, en haut aussi, sur le côté !

Il l'emmène vers son cabinet avec le sourire d'un habitué. Elle débarque toujours sans rendez-vous, en coup de vent.

Le docteur Rosenthal, prince du Botox et père de bien des implants mammaires de Westmount, a bâti sa fortune en réparant les outrages du temps. Chez lui, l'adage *Time is money* a pris un sens particulier, car c'est grâce à l'écoulement du premier qu'il se remplit les poches du deuxième.

— J'ai des pattes d'oie !

— Gaëlle, vous avez trente-neuf ans, diagnostique-t-il d'un ton serein en commençant un rapide examen. Ces pattes d'oie sont d'ailleurs à peine visibles.

— Il me faut une injection tout de suite, docteur. Dans mon milieu de travail, ces signes ne pardonnent pas. Ça commence par une patte d'oie et ça finit en queue de poisson, si vous voyez ce que je veux dire. Pour obtenir des contrats, je dois rester jeune, en forme et hyper sexy.

Elle palpe sa bouche devant le miroir sur le mur.

— Vous ne trouvez pas que mes lèvres sont moins pulpeuses qu'avant ? Peut-être qu'on devrait rajouter un petit quelque chose, genre doubler la dose de collagène ?

Le médecin, qui connaît Gaëlle, n'émet de réserves que pour le principe.

— Personnellement, je ne crois pas que cela soit nécessaire, vous en avez suffisamment. Il ne faut pas dépasser un certain équilibre.

— Doc, mon conjoint est noir, il a de belles grosses lèvres, contrairement aux miennes. Tous les hommes aiment les grosses lèvres. Ça les excite pendant les fellations. J'ai besoin qu'elles soient gonflées au maximum. La bouche d'Angelina Jolie... multipliée par deux !

— Vous me disiez que c'est pour votre métier ! plaisante le médecin en riant. Gaëlle, vous êtes impayable !

Toutes ses clientes exhibent des motifs professionnels et il fait toujours semblant de les croire. Avec Gaëlle au moins, l'hypocrisie ne dure jamais longtemps.

— Écoutez, doc, reprend-elle en s'asseyant en face du médecin sur la table d'examen. Il n'y a déjà presque plus rien de naturel chez moi et ça ne m'empêche pas de plaire. Au contraire. Cessons de perdre du temps et sortez la seringue, j'ai un appel conférence important dans une heure, je dois être mignonne au téléphone.

— On vous verra au téléphone ? continue-t-il sur le même ton badin, en fouillant dans un tiroir.

— MOI, je me vois et je fais toujours mes appels devant un miroir, ça me donne confiance en moi. Anyways, je me comprends.

- - - - -

Quand elle sort de la clinique pour rejoindre sa voiture, Gaëlle tombe nez à nez avec Mme Mayfield au volant de sa Mercedes. Les lèvres bleutées et encore enflées par les injections, mais nullement gênée, elle vient près du véhicule et frappe à la vitre.

— My, my, my, regarde-moi qui s'amène ! Bonjour madame Mayfield, vous allez bien ?

— Oui…, ronchonne Mme Mayfield, embarrassée.

— Vous vous êtes égarée ? continue Gaëlle sur un ton sarcastique. J'peux pas croire que nous avons le même doc, c'est trop drôle ! Attendez que je dise ça à Sophie, elle va se bidonner !

— Il n'est pas absolument nécessaire de lui en parler. Ça ne la regarde pas, c'est ma vie privée.

— Privée ? Depuis quand vous souciez-vous de la vie privée ? Sophie, elle en a, elle, une vie privée ? Alors, qu'est-ce que vous venez remonter aujourd'hui ? Vous avez réservé Rosenthal pour toute la nuit, j'espère ? Parce qu'il y en a, des choses à remonter ! Attendez, je vous prends en photo…

Elle sort son cellulaire et immortalise la colère de la belle-mère de Sophie.

— Elle aura la photo dans moins d'une minute, conclut-elle avec un sourire aussi large que ses nouvelles lèvres le lui permettent. La magie de Noël, madame Mayfield !

- - - - -

Pour l'une des rares fois où Gaëlle est arrivée d'avance au Café Asada, elle trouve Nathalie effondrée. Le dos courbé dans un pull large, les yeux tirés et les cheveux négligemment ramassés dans un chignon, elle ne voit même pas entrer son amie.

— Écoute-moi, ma chérie, commence Gaëlle après que Nathalie eut résumé en quelques mots l'épisode des jumeaux. Ça fait des mois que tu vis presque dans la misère, que tu cours après ce crétin afin qu'il paie sa pension alimentaire pour SES fils que MONSIEUR n'est pas foutu de payer parce qu'il est trop occupé à entretenir sa Barbie bimbo. Ça ne peut pas continuer. Que ta réflexion soit finie ou non, ça ne *va* pas continuer.

Nathalie lève les yeux vers son amie. La détresse aussi peut être bleue. Gaëlle continue, en serrant les mains de son amie, voulant la réveiller de ce cauchemar :

— Je ne suis peut-être pas une mère, mais tu sais que je n'ai pas eu la vie facile… Alors voici ce que je te propose : tu vas appeler au privé et prendre un rendez-vous chez le psychologue pour les gars. Si tu ne trouves pas, je vais t'aider.

— Je n'ai pas besoin d'un psy, Gaëlle…

— Je n'ai pas fini... Ensuite, tu vas voir un avocat. Vincent, il faut lui rentrer dedans violemment. Tu te souviens de François Lebel ?

— Il était avec nous au cégep, non... ? Celui avec qui tu couchais...

— Entre autres. Anyways, il est devenu l'un des plus grands avocats en matière matrimoniale. Je vais l'appeler, il me doit une faveur. Pour le reste, prends un break.

Gaëlle lâche son étreinte et saisit son chéquier dans son sac. Elle signe un chèque de 5 000 dollars au nom de son amie.

Elle le pose sous ses yeux.

— Mais t'es complètement folle ! Comment veux-tu que je te rembourse ?

— Qui te parle de remboursement ? Je t'aime et cet argent, je te le donne. Mets le chèque dans ton sac à main, voilà Sophie. C'est entre toi et moi.

Nathalie s'essuie les yeux et esquisse un sourire de gratitude en rangeant le chèque.

— Salut, les filles ! s'exclame Sophie, un peu essoufflée et plus extravertie que d'ordinaire. Excusez mon retard, ça bouge un peu dans ma vie plate de banlieue comme dit Gaëlle.

— Tu as vu tes courriels ? demande aussitôt celle-ci en lui tendant son cellulaire avec la photo prise quelques heures plus tôt. Regarde ta belle-mère... Elle fréquente la clinique esthétique du docteur Rosenthal, cette salope. Elle se fait tout remonter ! Tu vois qu'elle veut coucher avec son fils !

Mais Sophie a déjà remarqué la tristesse de Nathalie et jette à peine un œil sur le cellulaire.

— Qu'est-ce qui se passe, Nathalie ? Raconte-moi...

— Je... je suis fatiguée.

— Tu es fatiguée depuis trop longtemps, dit Sophie en la prenant dans ses bras.

Le téléphone de Gaëlle sonne, un client. Elle prend l'appel pendant que Sophie continue.

— Les enfants ? hasarde-t-elle en lui caressant les cheveux.

Nathalie lui raconte l'expulsion de Noah et Nathan, ainsi que sa décision de prendre un psy et un avocat, la paire indispensable du XXIe siècle.

— Tu sais, Sophie, c'est fou, ajoute-t-elle. Les factures d'Hydro-Québec, les enfants, l'école, la bouffe, le ménage... Il y a tout le temps quelque chose, et pourtant... j'ai l'impression que ma vie est vide...

Sophie la regarde, pensive.

— Je connais ça, Nath. Même l'argent ne remplit pas ce vide...

Nathalie tourne vers elle son regard lumineux. Puis Sophie, reprenant, comme si c'était la suite logique de sa conversation intérieure :

— J'ai décidé de ne plus m'épiler.

Les deux autres jeunes femmes s'observent, stupéfaites.

— C'est bizarre, remarque Gaëlle en déposant son cellulaire, j'ai lu *Le Journal de Montréal* ce matin et on n'en parlait pas...

Nathalie sourit légèrement.

— Je ne ris pas, Gaëlle, poursuit Sophie, très sérieusement. Je me suis rendu compte que...

— Que ? demandent les deux femmes en même temps.

— Je ne suis plus amoureuse de Kurt.

Elle s'effondre en larmes.

CHAPITRE 5

Brossard. Dès qu'elle franchit le pas de la porte de sa résidence, Gaëlle hume une odeur de vivaneau provenant de la cuisine. Elle y trouve Margareth aux fourneaux, occupée à chanter et danser au son de la musique kompa.

— Bonsoir Maga... Tu nous as fait un souper-surprise ?

Sa belle-mère pose la main sur son cœur.

— Oh ! Gaëlle ! Tu m'as fait peur ! Jean-Robert vient de partir chez le nettoyeur, il m'a demandé de surveiller le poisson. Je passais juste pour lui apporter du courrier de son père.

— Il aurait pu ouvrir la portepatio et les fenêtres, remarque Gaëlle en joignant le geste à la parole. Ça va sentir pendant des jours dans le loft.

— J'ai allumé des bougies pour absorber l'odeur.

Quand elle entre dans sa chambre pour la désodoriser, Gaëlle trouve ses vêtements lavés, repassés, pliés et étendus sur le lit King. Elle a vite fait ça, Margareth, pour quelqu'un qui passait simplement déposer du courrier.

— Calvaire ! Maudit qu'elle est envahissante des fois.

Margareth s'approche timidement.

— Je me suis occupée de tout, doudou. Je voulais te faire plaisir, je sais que tu n'as pas toujours le temps.

— OK, Maga, je sais que tu veux bien faire mais laver mes petites culottes à la main c'est un peu intense, tu ne trouves pas ? Tu as repassé les slips et les jeans de Jean-Robert en plus ? Ben voyons donc !

— J'ai toujours repassé tous ses vêtements, je fais la même chose avec ceux de Fritz, c'est une question d'habitude, pardonne-moi…

Le portable de Gaëlle sonne. C'est François Lebel, l'avocat qu'elle a contacté pour Nathalie.

Margareth en profite pour fouiller dans les tiroirs en y rangeant les vêtements. Soudain, elle pousse un cri.

— Mon Dieu, qu'est-ce qui se passe ? demande Gaëlle en posant la main sur le microphone du cellulaire.

— Seigneur Jésus, Marie, Joseph !!!

— Franchement, Maga, reviens-en ! s'exclame Gaëlle en riant. Excuse-moi, François, dit-elle à son interlocuteur, c'est ma belle-mère qui vient de tomber sur un vibromasseur dans ma chambre. Je te rappelle.

Puis, à Margareth :

— T'as jamais vu ça, un dildo ?

— Non... Mais... Tu joues avec cette saleté et ensuite tu n'as plus envie de Jean-Robert. C'est ça ?

— Mais qu'est-ce que tu racontes, Margareth ! Celui-là est un cadeau pour ma copine Sophie ! Le mien est à droite, dans le tiroir de ton fils.

- - - - -

À Belœil, les bras chargés de sacs d'épicerie, Ginette débarque chez son ex-belle-fille.

— Salut, beauté ! J'ai fait une razzia ! Comment ça se passe avec les garçons ?

Nathalie, en leggings et T-shirt, s'empresse de l'aider et la débarrasse de ses paquets pendant que sa belle-mère ôte ses bottes.

— J'ai réussi à obtenir un rendez-vous pour eux chez le psy après-demain. Ils sont toujours en suspension, mais ça ne les inquiète absolument pas. Ils passent leurs journées à dormir, à jouer aux jeux vidéo et à vider le frigo. Il faut que je te parle de Vincent...

— Ah ! Justement je lui ai parlé ce matin. Je l'ai mis au courant de la situation.

Elle entre dans la maison avec un des sacs de provisions. Nathalie la trouve très essoufflée.

— Il ne veut pas s'en mêler, il prétend qu'il n'a pas le temps, qu'il a d'autres problèmes à gérer en ce moment.

— Bon, je crois que j'ai de quoi le réveiller… Gaëlle a… Tu restes souper avec nous ? Tu as l'air fatiguée, Gigi…Tu es sûre que ça va ?

Ginette vient de s'asseoir sur une chaise de la cuisine, l'air épuisée. Nathalie s'accroupit à ses côtés.

— Ne te fais pas de souci, mon ange. Juste un coup de fatigue…

Mais quelque chose sonne faux dans la voix de Ginette.

— Tu ne me caches rien, Gigi, tu me le jures ?

Le cellulaire sonne. Nathalie se saisit du téléphone sans quitter Ginette du regard. C'est Gaëlle qui l'appelle. Elle lui explique sa conversation avec l'avocat. Il propose d'adresser d'abord une mise en demeure formelle, puis de passer aux procédures judiciaires. S'il a organisé son insolvabilité, il le fera condamner.

Quand elle revient dans la cuisine, Ginette occupe toujours la même place. Elle s'est servi un verre d'eau. Avant même que Nathalie, hésitante, ne commence à exposer la situation, elle prend la parole.

— Écoute-moi, beauté. Ça fait plusieurs jours que j'y pense et j'ai quelque chose à te suggérer. Serais-tu à l'aise si Nathan et Noah venaient habiter chez moi pour quelque temps ? Question de te laisser souffler un peu, mettre tes idées en place, t'occuper de toi, te reposer.

— Gigi, t'es pas sérieuse ! À ton âge, tu imagines ! Tu sembles déjà exténuée !

— Mais pas du tout, au contraire, ça va m'occuper ! C'est le désœuvrement qui m'épuise. Je suis à la retraite, parfois mes journées sont longues et ennuyantes. Tu sais à quel point j'adore mes petits-fils, ils sont ma raison d'être. En plus, si les enfants vivent sous mon toit, cela va peut-être encourager Vincent à s'en occuper un peu.

— Justement, je voulais te dire que j'ai décidé de…

— Tu dois être réaliste, ça ne peut pas continuer comme ça. Sinon ce sera pire pour toi et pour eux. De toute façon, je doute que l'école accepte de les reprendre. On pourrait les inscrire à la polyvalente près de chez moi. Regarde, prends le temps d'y réfléchir et sens-toi très à l'aise mais sache que ça me ferait vraiment plaisir de t'aider. Tu as décidé quoi, tu disais ?

Mais Nathalie, au dernier moment, opte pour ne rien dire à Ginette au sujet des procédures. À quoi bon l'inquiéter alors que rien n'est encore fait ?

— J'ai décidé d'accepter ton offre… T'es la mère que je n'ai jamais eue, Gigi.

— Ta mère est une femme malade qui a besoin d'aide. Toi aussi, tu as besoin d'aide… Bon, maintenant, viens t'asseoir, j'ai apporté de la tourtière. Mange un peu, ensuite je te fais couler un bon bain et j'emmène les garçons au cinéma.

CHAPITRE 6

Gaëlle fait irruption au Café Asada vêtue d'une zibeline beaucoup trop ostentatoire, avec une démarche trop rapide et dans un tourbillon de parfum beaucoup trop fort. Surexcitée, elle se précipite vers la table habituelle sans prendre la peine d'ôter son manteau.

— Un problème, Nath ? demande-t-elle en remarquant le regard consterné de son amie qui examine sa fourrure.

— Non, pas vraiment... Je pense juste aux animaux torturés pour satisfaire tes caprices ! Se couvrir d'un cadavre, ça ne m'a jamais semblé tellement sexy...

— Ah non, ne commence pas avec ton discours d'écologiste ! objecte Gaëlle, énervée, en se débarrassant. On vit au Québec, y fait « frette » et on porte du « pwel ». T'as pas remarqué que la plupart des débiles mentaux membres de PETA vivent en Californie ? Ils ne connaissent rien au froid, gang de timbrés !

— On fait de la très belle fourrure synthétique, Gaëlle. Massacrer des animaux pour paraître sensuelle, c'est complètement dépassé.

— Anyways, Sophie, à propos de fourrure, toujours pas d'épilation ? Aucun rapport sexuel avec l'héritier ?

Sophie croise les jambes par réflexe. Elle cherche instinctivement le pendentif qu'elle triture toujours machinalement quand on aborde son intimité avec Kurt, puis se souvient qu'il n'est plus là : elle a décidé de ne plus porter quoi que ce soit qui lui rappelle son mari. Elle ajuste son col roulé.

— Nada. C'est fini pour moi, dit-elle impassible. Quand je le vois, j'ai l'impression de retrouver sa mère. Ça me dégoûte.

— Tu as vraiment changé, remarque Nathalie. Je t'entends encore nous parler de ton fameux devoir conjugal du samedi soir.

— Je ne pense pas que j'aie tellement changé, Nathalie, rétorque la jeune femme, froissée. J'ai toujours les mêmes valeurs, toujours envie d'être une femme exemplaire pour mon mari, une mère qui se dévoue à ses enfants… Mais, tout ce temps, j'ai cru que c'était avec Kurt que je pourrais vivre tout cela… En fait, j'étais seule à le vouloir. J'ai toujours été seule.

— Tu sais, on fait de très beaux pénis synthétiques aussi, intervient Gaëlle en vérifiant les courriels sur son cellulaire.

Puis saisissant la main de Sophie pour lui arracher un sourire :

— Si je t'en donne un, tu t'en serviras ? En échange, je revends ma zibeline pour faire plaisir à Nath... Promis !

Le regard de Sophie s'éclaire à peine. Pourquoi pas, au fond ? Ce serait presque un geste symbolique.

— Toi, Nath ?

— Gigi me propose de prendre les garçons à temps plein...

— Pourquoi tu ne demandes pas à Sophie si sa belle-mère chérie n'aurait pas un vieux riche à te présenter ? Elle doit connaître une tonne de cadavres ambulants du troisième âge !

— On passe du synthétique au périmé, c'est ça ? dit Nathalie en riant. T'as vraiment des idées, toi !

Nathalie a retrouvé un peu de bonne humeur et son magnifique visage respire presque la joie de vivre. La beauté imite merveilleusement le bonheur.

— Mais baiser ne t'intéresse pas ! blague Gaëlle. Alors un vieux tabarnak qui n'est plus capable de bander, préférablement malade et sans enfants ni ex-femme, avec des chances de crever bientôt en te laissant tout son cash, c'est absolument génial ! J'en connais plein si tu veux.

— Mais comment tu peux vouloir mettre Nathalie dans les bras d'un mari pareil ? C'est épouvantable, Gaëlle ! Nathalie mérite un homme bien, qui saura l'apprécier à sa juste valeur. Il y en a plein qui fréquentent l'église où je vais le dimanche. De beaux hommes, bien élevés, qui ont un bon emploi, de belles valeurs, une…

— Arrête, Sophie, s'il te plaît, tu m'exaspères ! Un bon chrétien qui va à la messe tous les dimanches, qui se promène en Toyota Corolla de l'année, qui t'emmène en vacances à Wildwood dans une tente-roulotte durant la semaine de la construction, qui te propose d'aller manger un repas familial 4 chez St-Hubert le jeudi de paye, qui baise sûrement en missionnaire, qui jubile comme un débile lors des séries au hockey dans le sous-sol de son collègue de bureau et qui lèche ses doigts entre deux ailes de poulet en buvant de la bière Wildcat, sans compter qu'il s'asperge plusieurs fois par jour de Old Spice, ouache ! Le cœur me lève.

— Je crois que vous êtes folles, toutes les deux, raille Nathalie en riant de plus belle. Je ne cherche personne. Je veux juste un peu de repos et de tranquillité.

— Moi, je te dis, si tu trouvais un jeune amant black d'origine africaine, héritier d'un dictateur bien nanti, bien membré, tu n'aurais ni repos ni tranquillité et tu serais excitée comme une ado en pâmoison devant Justin Bieber…

— Arrête avec tes trucs sexuels, Gaëlle. On dirait que pour toi, il n'y a que ça dans la vie…

— Bon, sœur Angèle et ses oreilles chastes ! Parlant de beau black bien membré, j'ai quelque chose à vous confier : je pars à Paris mardi prochain.

— Encore ? souligne Sophie.

— Ah ! Tu es en manque, c'est ça ?

— Bingo, Nath ! Et ça risque d'enflammer mon vagin. J'ai tellement hâte... On se parle tous les jours sur Skype, il m'envoie des photos de lui en érection, je capote !

— Jean-Robert ne se doute de rien ?

— Ah, il me tape sur les nerfs ces jours-ci. Trop attentionné, trop respectueux, trop fidèle... Je m'ennuie dans mon couple. J'ai besoin de stimulants.

— Pourquoi ne pas faire un enfant ? essaie Sophie. Ça te tiendrait occupée et ton mari serait fou de joie.

— Et voilà, ça recommence ! s'insurge Gaëlle en tapant du pied sous la table, faisant claquer son talon aiguille sur le sol carrelé du café. Non, mais c'est un complot ou quoi ?

— Mais écoute-toi, Gaëlle ! intervient Nathalie. Tu dis que tu t'emmerdes parce que tu as une existence dont toutes les femmes rêvent ! C'est quand même pas normal... Il y a peut-être autre chose à faire de ta vie, non ? Je suis sûre que tu ferais une mère formidable...

— Écoutez, les filles, parce que c'est la dernière fois que je vous le dis. Je ne veux pas, vous entendez, je-ne-veux-pas-d'enfant ! Ma mère a passé sa vie à en pondre, à les torcher, à nettoyer et à se plaindre à longueur de journée. Toute ma vie j'ai ressenti que pour elle, nous n'étions que des problèmes sur pattes, des nuisances sonores et des devoirs interminables. Vous croyez que ça m'a donné le goût ?

Elle regarde vers le bas, dans le vide, fixant des souvenirs invisibles et douloureux. Puis elle reprend, sur un ton amer :

— Ma mère aurait voulu avoir une carrière, être autonome mais mon père était beaucoup trop jaloux pour ça. Il refusait que le laitier vienne sonner à notre porte, car il était persuadé qu'il voulait séduire ma mère, maudit malade ! Il chronométrait ses déplacements, exigeait le détail de toutes ses activités... Et moi, je n'ai pas eu d'enfance ni d'adolescence. J'ai passé mon temps à changer les couches de mes frères et sœurs, faire la cuisine, aider aux devoirs parce que ma mère était souvent trop fatiguée, déprimée, médicamentée. Et lorsqu'on a appris qu'elle souffrait d'un cancer de l'utérus, mon père allait baiser sa belle-sœur dans son dos ! Sympa, la vie de banlieue... Trois semaines après le décès de ma mère, cette salope a emménagé à la maison. Mes frères et sœurs n'ont rien dit. Absolument rien ! Elle était tellement méchante avec nous, une vraie bitch, poursuit Gaëlle, remplie d'une rage comprimée, devenue dure, presque calme. Lorsqu'on se plaignait, mon père disait qu'on exagérait et refusait de prendre notre défense. Ensuite, il lui a fait deux autres enfants. Mes frères et sœurs et moi avons cessé d'exister à ses yeux.

Sophie, connaissant la profondeur de la tristesse de Gaëlle, glisse son verre dans sa direction. Gaëlle le boit d'un trait et lève les yeux vers son amie.

— Tu vois, Sophie, je serai toujours éternellement reconnaissante envers ta mère qui m'accueillait chez vous comme si j'étais sa fille. C'est à ce moment que j'ai compris ce qu'est une mère. Mais c'était trop tard. J'avais déjà imprimé la mienne.

C'est la première fois que Gaëlle raconte cet épisode de sa vie sans l'émailler de blagues salaces.

— Je me suis juré que je deviendrais tout son contraire. J'ai MA vie et je suis devenue beaucoup trop égoïste pour la partager avec un enfant.

Puis, arborant un grand sourire forcé :

— La question est réglée, maintenant ? demande-t-elle en cherchant le serveur du regard pour éviter que ses amies ne voient ses yeux légèrement mouillés par les larmes naissantes.

— Tu sais, Gaëlle, enchaîne Nathalie après un court silence, personne ne te juge ici. On t'aime toutes les deux comme une sœur… Et c'est pour ça qu'on… que je trouve que risquer de perdre tout ce que tu as bâti avec Jean-Robert pour quelques secondes d'orgasme, c'est cher…

— J'ai mes points Aéroplan, qu'est-ce que tu crois ? Je ne paie pas pour me faire baiser, quand même ! rétorque-t-elle, de nouveau pleine de verve. J'ai besoin que ça bouge, qu'est-ce que vous voulez que j'y fasse ? Mon mari ne veut même pas essayer l'échangisme !

— L'échangisme ? répète Sophie, les yeux écarquillés, comme si elle se réveillait en sursaut. Tu accepterais que ton mari couche avec une autre femme devant toi ?

— Comme si tu n'y avais jamais songé ! C'est une activité courante chez les « matantes de banlieue » qui font du macramé dans leur sous-sol en stucco. J'ai lu un article sur une association des échangistes au Québec. Ils cherchent des bénévoles, d'ailleurs, si ça vous intéresse... Tu savais que la plupart des gens qui pratiquent l'échangisme vivent en banlieue ? C'est cool, non ?

Sophie, atterrée, regarde Nathalie qui explose de rire en voyant sa tête.

— Elle est malade ! s'exclame-t-elle. Gaëlle est complètement malade !

— Tu ne savais pas ? demande Nathalie.

- - - - -

— Béni soit l'Éternel ! s'écrie Margareth du fond de sa cuisine où elle prépare ses repas pour la semaine.

— Qu'est-ce que tu as, ma chérie ?

Fritz, au salon devant ses mots croisés, lève à peine les yeux.

— Qu'est-ce qu'il a fait, l'Éternel ?

Sa femme sort surexcitée de son endroit favori, le téléphone en mains.

— Notre fille adorée a passé son échographie aujourd'hui, ce sera un garçon ! Gloire à toi, Jésus ! J'ai appelé toute la famille en Haïti, New York, Boston, Miami, Chicago. J'ai même appelé Suzette qui est en voyage de pèlerinage à Lourdes. Tante Jeanne n'était pas là mais j'ai fait le message à Lucienne. Lucienne m'a promis qu'elle le dira à Maryse, comme ça Maryse le dira à Cocotte et Cocotte transmettra à Gladdys pour Lysette. Elle le dira à Jeanne, c'est tout simple.

— Très bien ! continue Fritz machinalement en cherchant un mot de trois lettres.

— Je vais faire chanter une messe à l'Oratoire pour remercier Dieu de cet heureux événement !

— Parfait. Tu Le remercieras aussi de ma part.

— Je vais proposer à Carline que Gaëlle soit la marraine…

Fritz observe sa femme par-dessus ses lunettes et dépose en soupirant le journal sur ses genoux. Cette femme ne lâchera jamais son bout.

Elle le regarde, sentant sa désapprobation.

— Qu'est-ce qu'il y a ? Qu'est-ce que j'ai dit qui ne va pas encore ? demande-t-elle.

— Rien, pourquoi tu me demandes ça ? Tout va très bien, ma chérie…

CHAPITRE 7

Dans le cabinet du docteur Alphonse de l'hôpital Pierre-Boucher, Ginette Lamoureux ne cherche plus à retenir ses larmes.

— Alors c'est comme ça que ça se passe, une vie ? chuchote-t-elle pour elle-même.

— Je suis sincèrement désolé, madame Lamoureux.

Elle a les yeux gonflés d'un enfant puni injustement.

— On fait tout ça et puis...

Le médecin se lève et pose sa main sur son épaule.

— Je sais que c'est une nouvelle très difficile à encaisser. Voulez-vous que je rencontre avec vous les membres de votre famille pour leur exposer la situation ?

Ginette se mouche et regarde, hébétée, l'oncologue debout près d'elle.

— Nous avons aussi des psychologues si vous avez besoin d'en parler...

— Qu'est-ce que vous voulez qu'ils me disent, vos psychologues ? Je… je n'ai même pas vécu !

Des sanglots l'envahissent de nouveau. Elle poursuit :

— Je n'ai même pas vécu et je suis déjà en train de mourir… Comment va faire Nathalie ?

— Qui est Nathalie ? demande avec douceur le médecin.

Elle ne répond pas, cherchant dans sa tête une solution.

— Vous allez avoir besoin de soutien et d'amour…

— J'ai des responsabilités, vous savez. Mes deux petits-fils vivent avec moi à temps plein et ils ont besoin de moi. Ils me donneront la force et l'amour dont j'ai besoin. Êtes-vous sûr que la chimio… ?

— Le cancer du pancréas est agressif et le vôtre est trop avancé à ce stade-ci. Je suis sincèrement navré, madame Lamoureux.

Elle se lève lentement, s'appuyant sur la chaise comme si elle était déjà mourante. Puis, se reprenant :

— Je vous remercie, docteur Alphonse. Je dois rentrer chez moi, mes petits-fils m'attendent pour le souper. À cet âge, vous savez, les garçons, ça ne fait que manger. Ça tombe bien, la cuisine me permet de penser à autre chose et j'ai… J'ai un peu besoin de me distraire…

— Vous n'avez pas un proche auquel vous aimeriez vous confier ? Cette jeune femme qui était dans le couloir, Nathalie…

— Non, docteur. Je préfère ne pas en parler pour le moment… surtout pas à Nathalie…

- - - - -

Au Café Asada, Nathalie et Sophie scrutent le visage de Gaëlle qui vient de s'asseoir sur ses trente minutes de retard comme si ce n'était qu'un détail. Elle a traversé le restaurant moins vite que d'habitude, comme si elle marchait difficilement et s'est effondrée sur sa chaise, exténuée.

— J'plus capable, j'suis juste plus capable d'en prendre ! continue-t-elle.

— Bon, que se passe-t-il ENCORE ?

— Je reviens de chez mon gynéco… Ça fait trois jours que je suis incapable de marcher, déclare Gaëlle avec une grimace énigmatique, mélange de douleur et de sourire… J'ai mal… mais tellement mal !

— Qu'est-ce qu'il a dit, le gynéco ? Un problème aux ovaires ?

— J'ai mal au vagin, tabarnak ! J'ai les lèvres enflées comme pas possible !

— Mais comment t'as fait ça ? s'inquiète Sophie pendant que Nathalie, qui a déjà compris, pose ses deux mains sur sa bouche pour éclater de rire.

— Amadou ! Il n'a pas besoin de collagène, celui-là, pour faire gonfler mes lèvres. Un super Rosenthal !

— Oh ! Seigneur Dieu, Gaëlle, continue Sophie presque en chuchotant comme si elle était à la messe. Mais qu'est-ce que vous faites, tous les deux ?

— Il me tue chaque fois ! Depuis son arrivée à Montréal, on a passé nos journées complètes à baiser comme des phacochères. Jamais vu un homme capable d'éjaculer autant de fois... Je n'en peux plus ! Je l'ai raccompagné ce matin à l'aéroport... Pour le remercier, je lui ai fait une pipe de vingt minutes dans le stationnement souterrain. Y avait encore de la pression dans le système, je peux vous l'assurer !

— Dégueulasse. T'es franchement dégueulasse, Gaëlle Simard !

— Bon, voilà la Vierge Marie qui capote encore ! Coudonc, toi, ta vie sexuelle... Ah, c'est vrai, j'oubliais, tu ne baises plus. Tu fais ta grève d'épilation de la toundra !

— Pas vraiment..., répond timidement Sophie en passant sa main dans ses cheveux flamboyants.

— Pas vraiment quoi ? Tu rebaises avec cet enculé ? Mais...

— … Arrête, Gaëlle. Ce n'est pas ça du tout, continue-t-elle, très gênée.

Elle regarde les tables voisines et baisse encore le ton. Mais Gaëlle, excitée, élève la voix :

— Tu as pris un amant ! crie-t-elle, resplendissante.

— Laisse-la parler, Gaëlle ! implore Nathalie, en posant la main sur son bras. Qu'y a-t-il, Sophie, qu'as-tu à nous dire ?

— Tu lui parles comme mon gynéco ! plaisante Gaëlle. T'as raté ta vocation ! Alors, Sophie, tu couches avec qui ?

— Avec moi…

— Alléluia ! s'écrie Gaëlle en se levant d'excitation. Elle a finalement découvert les joies du vibrateur que je lui ai offert ! Champagne ! Je revends ma zibeline !

— Ce n'est pas tout, continue Sophie, moins gaiement.

Gaëlle vient vers elle et pose ses deux mains sur ses épaules.

— Quoi ? demande-t-elle doucement. Dis-nous tout, ma chérie.

— Je ne désire plus mon mari, annonce-t-elle, résolue. J'en ai marre de ma vie de couple, marre de ma belle-mère castrante et envahissante, marre de cuisiner, marre que Kurt pisse à côté des toilettes, marre de ses chaussettes, de ses airs prétentieux, de ses citations, des noms qu'il me donne. J'en ai marre, et je veux une nouvelle vie !

— Et c'est un vibrateur qui t'a appris tout ça ? demande Nathalie. Mais c'est mieux qu'un psy ! Il faut que tu me donnes son nom !

Sophie continue :

— Je veux perdre du poids, m'acheter de nouveaux vêtements à la mode, retourner aux études, avoir une carrière et...

— Je vais t'organiser ça, cocotte, proclame immédiatement Gaëlle. Quand mon vagin ira mieux, on va commencer par prendre rendez-vous avec une nutritionniste, t'abonner au gym, changer ta coupe de cheveux Mireille Mathieu et te donner le look de Jennifer Anniston. Ça me fait tellement de bien de t'entendre parler comme ça ! J'ai l'impression que ça me dégonfle !

— Sérieusement, Sophie, qu'est-ce qui t'arrive ? interroge Nathalie. Tout ça s'est passé d'un coup ?

Sophie vide son litchi martini d'un trait et le dépose fermement sur la table.

— Il m'arrive que je suis à l'aube de la quarantaine, que j'ai vécu ce que je voulais vivre... et que je n'en veux plus. La mère au foyer qui fait des biscuits, ça ne me fait plus rêver. Je dois m'occuper de moi. Car personne d'autre ne le fera.

— Et Kurt ?

— Kurt, je m'en fiche, Nathalie. Il fait de la figuration dans ma vie, dans celle des enfants et peut-être même dans la sienne. J'ai épousé un second rôle qui n'a malheureusement aucune réplique à donner au personnage principal, sa mère.

— Tu veux le quitter ? Prends ton temps ma chérie, ce n'est pas évident la vie de mère monoparentale. Moi, s'il n'y avait pas Ginette, je serais sûrement pendue au bout d'une corde.

— Elle s'en sort avec eux ? s'enquiert Sophie pendant que Gaëlle répond à un courriel.

— Crois-le ou non, tout va très bien ! Leurs résultats scolaires sont très satisfaisants, ils sont beaucoup plus calmes et ne font plus de mauvais coups. Ils ont recommencé le soccer en plus ! Cette femme a tout changé…

— Sa queue est si grosse que je me demande si elle ne m'a pas démis la mâchoire, reprend Gaëlle en revenant à sa conversation pornographique. J'ai comme une douleur dans l'os près des gencives, fait-elle en passant sa main sur sa joue.

— Mais de qui tu parles, Gaëlle ? s'écrie Nathalie, complètement désorientée.

— D'Amadou. Il vient de m'écrire de l'avion. Il est déjà en manque. On dirait Jean-Robert il y a dix ans. Avant que je ne le déglingue, sans doute… Ah ! Quand on parle d'une queue, on voit le loup, s'exclame-t-elle en montrant l'afficheur aux deux filles. C'est Jean-Robert qui appelle...

- - - - -

Margareth, folle de joie, sautille en poussant de petits cris créoles dans ce qui est à la fois son bureau, son salon, son poste de communication avec le monde et son lieu de retraite : la cuisine.

— Que se passe-t-il, Maga ? demande Fritz, pour qui le fauteuil du salon remplit les mêmes fonctions. Carline a accouché ?

— Toute la famille vient nous rendre visite dans deux semaines ! Jocelyne, son mari et leurs quatre enfants, Nicole et sa sœur Marie-Thérèse, Carole, Philippe, Dimitri et tante Denise accompagnée de sœur Louise de la congrégation des Sœurs Gonaïves !

— Ils vont dormir à la maison ? demande-t-il, impassible, prêt à toutes les catastrophes.

— Tu ne voudrais pas qu'ils aillent à l'hôtel, quand même ! Je vais acheter des matelas gonflables pour tout le monde. S'il manque de place pour les autres, ils iront chez Jean-Robert et Gaëlle. Tiens, justement, ajoute-t-elle en regardant par la fenêtre, elle s'en vient, elle m'a dit qu'elle voulait m'en parler de vive voix.

— Je crois que je vais aller faire un tour, réplique aussitôt Fritz en se levant à regret du fauteuil.

Mais c'est trop tard : la porte d'entrée s'ouvre spectaculairement.

— J'plus capable, je ne suis VRAIMENT plus capable !

— Que se passe-t-il, cocotte ? demande Margareth, sincèrement étonnée. Assieds-toi. Tu veux manger ?

— Non, je ne veux pas m'asseoir, j'suis trop énervée !

— Énervée par quoi, ma chérie ? Laisse-moi te préparer un thé avec de la pelure d'ail. Fritz, va faire bouillir l'eau, s'il te plaît.

Celui-ci, qui voulait se rasseoir, se dirige lentement vers la cuisine.

— En Haïti, on boit ce thé quand on est contrarié par une mauvaise nouvelle. Alors, qu'est-ce qui t'arrive ?

— As-tu du litchi martini ?

— J'ai du rhum Barbancourt et du Krémas, propose aussitôt Fritz, changeant de direction pour saisir les bouteilles que sa femme lui interdit de boire seul.

— Faut se parler sérieusement, Maga. J'suis plus capable. Tu m'appelles pour m'annoncer que toute la perle des Antilles débarque à Montréal dans deux semaines et tu me demandes d'héberger l'arrière-grand-tante du cousin de la sœur du frère du neveu de ta belle-sœur de la filleule de ta nièce ? C't'une joke, right ? ? ? Je ne les connais pas, je ne les ai jamais vus, je n'ai même jamais entendu le son de leur voix, je ne sais pas s'ils parlent français ou créole et je dois leur servir de B & B gratuitement ! Ça va sentir les épices dans tout le condo, la musique kompa va jouer sans arrêt... Non ! C'est non. C'est juste, NON.

— Tiens, Gaëlle, bois un peu, dit Fritz en remplissant son verre de rhum.

— Mais j'ai demandé la permission à Jean-Robert, continue sa femme.

— Et qu'est-ce qu'il t'a répondu, le Barack Obama de Brossard ?

— Il m'a dit de t'en parler.

— Ah, ça, c'est facile ! Je ne sais pas comment dire non à ma maman alors je demande à ma femme de le faire ! Eh bien alors, c'est NON !

— Mais on ne peut pas les envoyer à l'hôtel, ça ne se fait pas...

— Et ils vont coucher où ? Dans mon bain ? Dans le cabanon ? Dans un hamac en feuilles de bananier dans la cour ? Voyons donc, Maga !

— On peut toujours s'organiser, c'est pour la famille..., insiste Margareth, ne comprenant pas où est le problème.

— Oui, justement, c'est justement ça, chez les Haïtiens, la famille, la maudite famille avant tout ! Ce n'est pas une famille, c'est une meute... Une meute de loups, d'ailleurs ! La plupart d'entre eux sont des profiteurs, des ingrats, des hypocrites et des mangeux de marde ! Combien de fois as-tu transféré de l'argent sous le coup de la panique parce que ta sœur et ton beau-frère prétendaient avoir tout perdu lors du tremblement de terre en Haïti alors qu'ils ont fait construire une grosse cabane à Miami où ils vont deux fois par mois ?

— Ah, ça, c'est vrai, Maga, essaie timidement Fritz en regardant son verre vide.

— Combien de fois as-tu envoyé la collection complète de CD de la Compagnie créole à ta sœur Nicole ? Combien de fois as-tu payé les études du fils de ta cousine qui apprend supposément la médecine depuis trente ans ? Il doit être un grand spécialiste international avec des études pareilles… Et pourtant, il travaille comme ambulancier. Il n'a JAMAIS mis les pieds dans une université !

— Ah, ça aussi, c'est vrai, Maga, confirme Fritz, les yeux sur la bouteille de rhum.

— Et Mimose, ton arrière-petite-nièce qui a vécu chez toi pendant des années, gratis en plus, et qui a volé tes bijoux afin de les vendre pour s'acheter du crack. Ça aussi, t'as oublié ?

— Tu t'en souviens, Maga ? C'est vrai que cette Mimose…

— Laisse-moi tranquille, Fritz. Tu l'aimais bien, vous passiez vos soirées à jouer aux dominos.

Il se sert rapidement un autre verre.

— Et les soupers de famille ? Ils débarquent dans ta cuisine comme des affamés, bouffent comme des goinfres, ne sont même pas foutus d'apporter une bouteille de vin ou une bouteille d'eau, repartent avec les restants dans un Tupperware et dès qu'ils sont dans la voiture, ils parlent dans ton dos !

— Ah, ça, c'est vrai, surtout Daphné et son mari ! ajoute Fritz, un peu pompette.

— Écoute, Maga, continue Gaëlle sur un ton plus doux, je ne veux surtout pas te blesser ni te faire de la peine. Je t'aime beaucoup. Tu es une femme extraordinaire bourrée de qualités exceptionnelles... Mais là, ça suffit, les gens profitent de toi, ouvre tes yeux !

— Alors qu'est-ce que je dois faire? implore Margareth, les yeux pleins d'eau.

— Tu les appelles pour leur donner les numéros de motels qui sont sur l'autoroute 132 ! Ils auront une vue sur le fleuve Saint-Laurent, c'est pas la mer des Caraïbes, mais c'est de l'eau quand même. N'oublie pas de leur fournir les dépliants de fast-food du quartier. Et les numéros de compagnie de taxi ! Je t'aime, Maga, bonne journée, j'ai rendez-vous pour mes ongles.

CHAPITRE 8

Lorsqu'il rentre chez lui, après une journée passée à visiter des galeries d'art en compagnie de sa mère, Kurt trouve la maison vide. Sans enfants. Sophie, endormie sur le sofa sous une couverture, ne l'a pas entendu. Il la réveille brusquement.

— Où sont les enfants ? demande-t-il, paniqué par ce changement dans ses habitudes.

— Chez ma mère.

— Depuis quand ? Tes parents sont de retour du chalet ?

— Depuis ton départ ce matin. Mon père est toujours au chalet et ma mère est venue les chercher à ma demande. Contrairement à la tienne, elle est très contente de passer du temps avec eux, dit Sophie d'un air fermé, en se levant.

— Que se passe-t-il ? Tu es malade ? Tu ne te sens pas bien ?

— Je vais très bien. J'avais besoin d'être seule. Je suis fatiguée et j'en ai marre, réplique-t-elle en pliant calmement la couverture.

— Pourquoi ne m'as-tu pas appelé ? Tu aurais dû me prévenir pour les enfants...

— Tu ne réponds jamais à ton cellulaire durant la journée, Kurt. Même quand tu es ici, c'est à peine si tu participes à la conversation. Je ne te parle même pas du bain des enfants, de leurs devoirs, et de toutes ces choses bien trop terre à terre...

Toujours sans lui adresser un regard, elle se penche pour ranger des magazines sur la table basse. Elle les ordonne en une pile qu'elle dépose nerveusement sur la plaque vitrée. Kurt, effrayé, vient à ses côtés.

— Sophie ! Mais qu'est-ce que tu as ? Je ne te reconnais pas !

— Tu ne me *connais* pas, Kurt. Tu ne t'es jamais intéressée à la femme que je suis.

Elle se redresse, face à lui.

— Tu connais la mère, la bonne à tout faire, la potiche...

— Et c'est quoi ce sac, tu vas au gym maintenant ? ajoute Kurt, presque déséquilibré par la surprise, en apercevant un sac de gym posé sur le canapé.

— J'irai trois fois par semaine à partir de maintenant. J'ai engagé un entraîneur privé qui m'aidera à perdre mon surplus de poids plus rapidement. Je lui ai donné le numéro de ta carte de crédit.

Il la sent furieuse, mais n'y comprend rien.

— Je sors. J'ai rendez-vous avec un coiffeur privé. J'ai besoin d'une nouvelle coupe. Que va détester ta mère, j'aime autant te prévenir.

— Mais qu'est-ce que... Qu'est-ce que je t'ai fait ?

— Rien. Tu ne m'as rien fait. C'est à moi que j'en veux. D'avoir accepté cette vie insipide, mortelle, au nom de principes...

Kurt, sentant son monde basculer, prend peur pour sa sécurité. Il s'approche de sa femme, presque tendre, pour la serrer contre lui. Elle le repousse sèchement.

— Ne me touche pas !

— Gaëlle Simard, sors de ce corps, c'est ça ? Mother m'a raconté pour la photo, et ses insinuations ! Soi-disant qu'elle ne respecte pas ta vie privée, elle ! C'est quoi la prochaine étape, tu vas demander le divorce ?

— J'y pense, Kurt.

Il se laisse tomber sur le sofa.

— J'ai tout fait pour te plaire, Kurt. Je me suis occupée de tes enfants, de ta maison, de ton confort. J'ai essayé pendant des années de ressembler à la femme que tu voulais. Je me suis transformée, déguisée... épuisée... pour qu'au bout du compte... quoi ? Rien. Je passe à côté de ma vie comme tu passes à côté de tes enfants. Et si nous nous croisons parfois, Kurt, c'est simplement parce que nous n'allons pas dans la même direction...

— Sophie, tu dois voir un médecin. Je... J'appelle ma mère !

Sophie, sans répondre, s'enfuit de la maison et claque la porte derrière elle.

Elle s'engouffre dans la Volvo, pose ses mains tremblantes sur le volant, prête à démarrer. Mais la dernière réplique de Kurt résonne encore dans sa tête et elle le revoit, minable, les yeux fous, se croyant menaçant avec son « J'appelle ma mère ! ». En larmes de rage, elle veut appeler Nathalie pour partager son dépit. Elle n'obtient pas de réponse lorsqu'elle reçoit un texto de Gaëlle :

« Nathalie a besoin de nous. Appelle-moi asap. »

- - - - -

— Maman !!! s'écrie Noah au téléphone. Il est arrivé quelque chose à grand-maman !

— Quoi, mon amour ? s'inquiète Nathalie, affolée. Qu'est-ce qui est arrivé ?

— Elle est couchée dans la cuisine... On dirait qu'elle est morte !

— J'appelle vite l'ambulance, Noah... Restez en ligne avec moi.

\- - - - -

Quand elle arrive aux soins intensifs à Pierre-Boucher, on interdit à la jeune femme de rencontrer sa belle-mère, hospitalisée aux soins intensifs. Un préposé l'invite à attendre dans la salle prévue à cet effet. Gaëlle et Sophie l'y rejoignent peu après.

— Personne ne veut me dire quoi que ce soit, leur raconte Nathalie. C'est pas normal. C'est grave, j'en suis sûre !

— Où sont les enfants ? interroge Sophie que la détresse de Nathalie force à sortir de la colère.

— Chez la voisine de Ginette. Je passerai les prendre tout à l'heure.

Sophie s'assied à côté d'elle pendant que Gaëlle apporte des cafés.

— J'avais un mauvais pressentiment depuis quelques semaines. Elle semblait fatiguée, perdait du poids... Elle disait qu'elle avait une vilaine grippe.

— Ne t'inquiète pas, Nath, souffle Gaëlle en lui tendant son café. Tant qu'on ne sait pas ce qu'elle a, autant ne pas laisser aller son imagination. C'est peut-être une simple gastro.

— Vous êtes les membres de sa famille ?

Les trois femmes redressent la tête en même temps. Nathalie se lève.

— Je suis Nathalie Clément. Je suis sa fille. C'est-à-dire sa belle-fille... plutôt son ex-belle-fille, mais elle me considère comme sa fille, vous comprenez...

— Je suis le docteur Alphonse, oncologue. Dans le dossier de Mme Lamoureux, votre nom est inscrit comme personne à contacter au besoin. Je peux vous parler SEUL À SEULE un moment à mon bureau ?

— Bien sûr, docteur.

— Ben là, est-ce que c'est grave, doc ? demande Gaëlle.

— La seule personne autorisée au dossier est Mme Clément. Excusez-moi. Veuillez me suivre s'il vous plaît, madame.

Nathalie sort de la pièce, accompagnée du docteur.

— Il est vraiment beau, ce médecin, tu ne trouves pas, Soph ? On dirait George Clooney dans cinq ans ! Si j'étais son infirmière, je ne lui ferais pas mal du tout. Tu sais, c'est le genre d'homme qui donne envie de...

— Franchement, Gaëlle, ce n'est pas le moment !

— OK, OK, Miss Langlois. Est-ce qu'on vend de l'alcool à la cafétéria de l'hôpital ? J'prendrais bien un litchi martini pour relaxer et passer le temps.

— Gaëlle ! s'écrie Sophie. Tu n'arrêteras donc jamais d'être... Gaëlle Simard ?

— Mais tu l'aimes bien, ta petite Gaëlle Simard, pourtant ! réplique son amie en souriant. Même que tu commences lentement à lui ressembler, tu ne trouves pas ?

CHAPITRE 9

— Elle va sûrement demander le divorce…

Effondré dans les bras de Mme Mayfield que ces effusions dégoûtent, Kurt, paniqué à l'idée de perdre celle qui s'occupait de ses enfants et lui tenait lieu de compagnie, commence à comprendre quel sera son proche avenir.

— Tu devrais t'en réjouir, darling, répond, en repoussant légèrement son fils, celle qui lui fait fonction de mère. J'ai toujours su qu'elle t'avait épousé pour mon argent. Cette pimbêche ne t'a jamais aimé, elle voulait simplement une sécurité. C'est une profiteuse, une ingrate, une…

— Mother, tu exagères quand même.

Il s'éloigne un peu. Elle respire mieux.

— Pense à Churchill en 1940.

Il la regarde, n'en croyant pas ses oreilles. Elle va lui faire une leçon d'histoire. Il essaie de revenir au sujet et se lève. Mme Mayfield retrouve ses aises.

— C'est de ma faute. Je l'ai trop souvent négligée, je ne suis pas un bon époux… ni un bon père.

— Tu as tout ce qu'une femme désire, c'est comme ça que je t'ai fait, déclare-t-elle comme si elle récitait une formule destinée à rompre le charme jeté sur son fils par une sorcière. La beauté, l'intelligence, la classe, l'éducation, le goût du beau. Le jour de ta naissance, je t'ai pris dans mes bras, j'ai dit à ton père : « Maintenant qu'il est né, Dieu peut aller se coucher. » C'est elle qui a pris un amant, sur les conseils de sa bonne amie Gaëlle, certainement. Tu vois où ça mène, les sorties des Québécois. À des orgies. Et, en plus, ils réclament l'indépendance… Ça serait beau !

— Sophie a raison, continue Kurt en s'imaginant obligé de donner le bain aux enfants dans cette grande maison vide. J'aurais dû m'impliquer dans le quotidien…

Sa mère, elle aussi, continue son monologue. Elle se lève du sofa et se dirige près d'un secrétaire en acajou.

— Je vais appeler un avocat afin de préparer les procédures. Tu demandes la garde exclusive des enfants, j'embauche une nounou pour s'en occuper et elle sort de la maison rapidement. Je refuse de l'héberger un jour de plus, elle a déjà assez profité, cette garce. À propos, j'ai eu Sandrine du Breuil, pour le souper…

— Mais, mother…

— Life goes on, my dear.

— Mais je ne veux pas divorcer !

— Moi oui, Kurt.

- - - - -

Margareth fait les cent pas dans sa cuisine, chapelet à la main, dans le bruit de fond des litanies à la Sainte-Vierge de Radio-Ville-Marie. Fritz, pour une fois dans le domaine réservé de sa femme, tente avec elle de comprendre la situation.

— Es-tu sûre, doudou ?

— Les preuves sont là, chéri.

— Mais qui te l'a dit ?

— Josette. Sa fille Marie-Rose est femme de chambre au Ritz, sur Sherbrooke. Elle a vu Gaëlle sortir de la chambre accompagnée d'un homme.

— C'était peut-être un rendez-vous d'affaires.

— Elle m'a décrit l'état de la chambre, Fritz... C'était horrible.

— Ah bon ? Qu'est-ce qu'elle a vu ? Ça m'intéresse !

— Ce n'est pas ça, le problème, Fritz, tu n'as pas besoin de savoir les détails.

Il quitte la cuisine.

— Tu ne vas pas en parler à Jean-Robert, j'espère ? demande-t-il en s'asseyant devant la télévision, car c'est l'heure de *La Poule aux œufs d'or*.

— Jamais de la vie ! Ça ne me regarde pas.

— Vas-tu en parler à Gaëlle, alors ?

— Elle est majeure et vaccinée... Je n'ai pas à me mêler de leur vie de couple. Ah ! ça me fait beaucoup de peine...

— Moi aussi, doudou... Je ne comprends pas non plus... Jean-Robert l'adore, il la gâte... C'est un mari exemplaire.

Margareth s'approche de son mari. Posant ses deux mains sur ses hanches, elle le regarde, les yeux dans les yeux :

— Fritz, dis-moi la vérité. Sais-tu ce qui se passe dans leur chambre à coucher ?

— Margareth Nau, est-ce vraiment toi qui parles ?

— Si elle le trompe, il doit forcément y avoir une raison.

— Mais je ne sais pas ce qu'ils font, Maga ! Comment veux-tu que je sache ?

— Tu adores ce genre de choses. Tu dois bien avoir une petite idée !

Fritz a bien remarqué l'énervement de Gaëlle en présence de son mari à plusieurs reprises. Il en a bien sûr tiré des théories, s'imaginant qu'il ne la satisfait pas comme lui, jadis, écrasé par les problèmes financiers, ne parvenait pas toujours à procurer à sa femme la détente du week-end. Mais ces pensées ont passé dans sa tête en un éclair, et il se garderait bien de partager ce genre de considérations avec Margareth, de peur d'ouvrir une boîte de Pandore. Elle possède une mémoire féroce et son amour-propre à lui n'a pas vieilli.

— Depuis quand as-tu ce genre de raisonnement ? La question n'est pas de savoir pourquoi, mais comment. Comment nous faisons avec eux ? Qu'est-ce qu'on leur dit ?

— On ne fait rien. Les chiens aboient, la caravane passe.

- - - - -

Ginette vient de se réveiller. En ouvrant les yeux, elle aperçoit Nathalie, à moitié endormie sur sa chaise d'hôpital.

— Salut beauté ! souffle-t-elle d'une voix affaiblie.

— Gigi chérie ! s'exclame Nathalie, se levant d'un bond pour l'embrasser. Comment te sens-tu ?

— As-tu parlé au docteur Alphonse ? demande Ginette en tentant de se redresser sur son lit.

— Oui... il m'a tout dit, répond Nathalie en s'asseyant sur le lit. Pourquoi m'as-tu caché la vérité ?

Ginette pose sa main sur celle de sa belle-fille.

— Je ne voulais pas t'inquiéter. Tu as assez de problèmes comme ça. Comment vont les garçons ?

— Ils s'ennuient beaucoup de toi...

— Dis-leur que je vais bientôt rentrer à la maison. Et toi, comment tu vas ?

Nathalie se lève. Par la fenêtre, elle observe la cour nue et sans arbres de l'hôpital. Elle ressemble à la vie qu'elle aura lorsque Ginette ne sera plus là.

— Je ne sais pas, je ne sais plus. J'ai tellement peur, Gigi... J'ai peur pour toi, pour moi, pour les enfants...

— Moi aussi, j'ai peur, beauté. Est-ce que le docteur t'a dit si je vais sortir d'ici bientôt ? Ils ne peuvent plus rien... Pourquoi me gardent-ils ? Je ne veux pas finir ici. Ça manque de vie, ce mouroir...

Nathalie revient face au lit.

— Ça te dirait d'aller pêcher au lac Achigan ? Après, on irait manger une crêpe à Saint-Sauveur avec les garçons. Comme quand ils étaient petits et...

— Tu sais que mes jours sont comptés, n'est-ce pas ? l'interrompt doucement Gigi.

Nathalie détourne de nouveau le regard vers la fenêtre donnant sur la cour. Elle est dévastée. Il n'y aura plus personne pour la soutenir. La chaleur va disparaître de sa vie à tout jamais. Personne ne remplacera Ginette.

— Je n'ai pas grand-chose, mais ça va t'aider. Je laisse ma police d'assurance aux garçons, environ 100 000 dollars chacun. Toi, tu auras la maison..., murmure Ginette, essayant de chasser toute émotion de sa voix.

— Ne parle pas comme ça, Gigi, je t'en supplie!

— Sois réaliste, Nathalie. Quand on ne comprend pas, il faut accepter... Je veillerai sur toi et les garçons de là-haut, tu verras. Je te serai toujours reconnaissante de m'avoir donné deux petits-fils merveilleux...

- - - - -

Sophie rentre chez elle, les bras encombrés de paquets, sans se préoccuper de l'état anarchique d'une maison qu'elle ne prend plus au sérieux. Un mauvais décor, une mauvaise pièce, un figurant inutile. Laisser les choses se dégrader toutes seules, les poubelles déborder, la vaisselle s'accumuler, c'est une manière comme une autre d'envoyer à Kurt un message subliminal.

Il n'y a plus de Glade.

Il n'y a plus de femme.

Elle monte lentement les escaliers grandiloquents de cette demeure trop grande en se remémorant ses résolutions: pour éviter que la vie ne nous change, il faut changer de vie. C'est ce qu'elle vient de comprendre à l'hôpital.

À l'étage, dans la chambre, Kurt est en pleurs. Sophie passe devant lui pour déposer ses achats dans la garde-robe. C'est Gaëlle qui les a presque tous choisis.

— Je suis dévasté, Sophie, sanglote Kurt.

Elle continue d'arranger ses robes cintrées, ses leggings et ses accessoires. Kurt fait partie des hommes qui n'apprécient que ce qu'ils sont en train de perdre.

— Je ne veux pas que nous nous séparions.

— Je comprends, dit-elle sèchement, en pensant à l'état de la maison.

— Ma mère dit que...

— Je me moque de ce qu'elle dit, interrompt Sophie.

Si ses yeux étaient des armes, il serait mort avant la fin de sa phrase.

— Que se passe-t-il, ma libellule ? fait-il en s'approchant dans le dos de sa femme. Tu as rencontré quelqu'un, c'est ça ?

— Arrête de m'appeler libellule ! Je ne fais plus partie de ta chaîne alimentaire ! C'est comme lorsque tu m'appelles « maman » devant les enfants. Je ne suis pas TA mère, justement. Je suis ta femme ! Enfin, j'étais.

— Je sais, ma perruche... mais tu es aussi la mère de nos enfants.

— Et arrête aussi avec les perruches ! J'ai un prénom et un nom. Sophie. So-phie Lan-glois ! s'écrie-t-elle. Ça te dit quelque chose ? Et je ne suis pas la mère de nos enfants, Kurt. Je suis leur père, leur mère, leur bonne à tout faire et leur gardienne. Alors, donne-moi tous ces noms à la fois si tu le veux.

— Sophie, mon lap... ma chérie... Donne-nous une chance... Consultons un thérapeute de couple, un psy... Je suis prêt à y aller tout de suite.

— C'est trop tard pour les urgences, Kurt. Et je n'ai pas besoin d'un thérapeute. C'est un divorce que je veux.

- - - - - -

Au restaurant avec Jean-Robert, Gaëlle n'a presque pas touché à son assiette.

— Que se passe-t-il, mon amour ? Est-ce que tu as des problèmes au boulot ? Tu manges à peine.

— Je suis débordée, excuse-moi, dit-elle en esquissant un sourire hypocrite.

— On devrait prendre quelques jours de vacances, ça nous ferait du bien, question de se retrouver. Faire l'amour sur une plage paradisiaque, quelque part aux Bahamas...

Gaëlle, encore endolorie, ne veut pas entendre parler de rapports sexuels pendant les prochaines semaines.

— Peut-être...

— Peut-être ? C'est bien la première fois que je t'entends répondre peut-être à une proposition indécente ! Toi qui adores le sable chaud, le soleil, le sexe... Tu n'es pas emballée ?

— J'ai la tête pleine ces jours-ci, mon chéri. Quelques dossiers au boulot qui me tracassent. Toi, ça va ?

— C'est quoi, tes dossiers ? Ce client gai de Paris, encore ? Tu as passé des heures en réunion avec lui... Il a fini par signer au moins ?

— Oui, on a conclu, dit Gaëlle, en regrettant aussitôt cette expression. Toi, ça va ?

— Il paraît que le bonheur, c'est continuer à désirer ce qu'on possède déjà... Alors je suis heureux !

— Parce que tu me possèdes ? demande-t-elle en finissant son verre de Bordeaux.

— Parce que je te désire, répond Jean-Robert en posant sa main sur la sienne. Je suis encore fou amoureux de toi, tu sais. Tu es la femme de ma vie, la plus belle, la plus...

— ... et celle qui refuse de te faire un enfant, comme ne manque jamais de le rappeler ma belle-mère chérie.

— Je t'aime comme tu es, Gaëlle. Au moins tu n'as jamais essayé de me cacher quoi que ce soit. Tu as été cash dès le début : pas d'enfants, pas de débat sur les enfants, pas de nostalgie des enfants... C'est une chose que j'admire chez toi, ton honnêteté, tu sais ? C'est ta plus grande qualité. Elle est parfois un peu brutale mais ça fait partie de ton charme... On fait l'amour ce soir, ma chérie ?

CHAPITRE 10

— Qu'est-ce qui nous arrive, Gaëlle ? demande soudain Nathalie, à la table habituelle du Café Asada.

Plus cérébrale que ses deux amies, bousculée dans son quotidien et confrontée à la fin de vie de Ginette, elle a passé la semaine à chercher en vain un sens à son existence chaotique. Il y a des moments où tout va si mal qu'on se sent personnellement victime d'une conspiration cosmique.

— Qu'est-ce que tu veux dire ? demande Sophie, surprise.

— C'est la première fois qu'on reste en silence pendant plus de trois minutes...

— C'est à cause de nos vies plates de banlieue, comme dit Gaëlle.

Celle-ci prend une grande inspiration et soupire en pianotant sur la table de ses ongles manucurés. C'est elle qui paraît la plus anormale ce vendredi : elle n'a pas gratifié son public de son entrée habituelle de diva, n'a pas prononcé son hymne national « *J'plus capable* » et semble presque tranquille. Elle est si ordinaire, en fait, que ça fait peur.

— Je ne peux pas croire que nous sommes toutes les trois à l'aube de la quarantaine et que nous sommes passées à côté de notre vie, déclare-t-elle finalement en regardant avec dégoût sa tisane.

— Je ne trouve pas que ta vie soit si dramatique, franchement ! lance Nathalie en imitant Gaëlle et en commençant à pianoter sur la table. Moi, je prendrais bien ta place...

— Et moi la tienne, répond la diva.

— C'est sans doute pour ça que notre lien est aussi fort, commente Sophie. Nous possédons chacune des aspects de la vie qu'une autre désire, vous ne trouvez pas ? Toi, Gaëlle, par exemple...

— Moi quoi ? Ma vie est truffée de mensonges. Je trompe mon mari parce que je suis une grande séductrice insécure qui a un besoin sempiternel d'attention. Je suis obsédée par la chirurgie esthétique, car je déteste voir mon image en vrai. J'œuvre dans un domaine qui m'emmerde royalement, superficiel et bourré de vices de toutes sortes. Tout est faux... Mes seins, mes mèches, mes ongles, mes relations... Nul... Je ne sais pas ce que vous aimeriez avoir là-dedans...

— Et moi, alors ! continue Sophie, la joue contre le poing.

— Toi quoi ? répètent d'une seule voix Gaëlle et Nathalie.

Elle fixe sa tisane froide sans cligner des yeux.

— Je me suis mariée avec un homme qui ne m'a jamais attirée, qui n'a pas de colonne vertébrale, mais un immense cordon ombilical avec sa mère... Mes enfants m'exaspèrent... Je me réfugie lâchement dans la religion, parce que c'est la seule chose que j'ai vu ma mère faire quand elle ne voulait pas affronter la réalité. Je me jette dans un divorce qui me plongera dans la misère... Je me trouve laide et pas séduisante et je crois qu'il est trop tard pour trouver enfin le bonheur et l'amour.

Puis, en retirant sa cuiller de la tasse :

— Il y a toujours un moment où c'est trop tard... C'est sans doute maintenant, pour nous.

— Jamais je n'aurais cru qu'on en arriverait là, les filles, s'étonne Nathalie. Je ne sais pas comment vous appelez ça... Moi, c'est simplement une catastrophe. J'ai été en couple durant des années avec un homme violent, j'ai eu deux enfants dont j'aurais peut-être dû avorter, car je savais pertinemment que je serais seule pour les élever, je suis en dépression, seule, sans un sou d'économies, la femme que j'aime plus que tout est en train de mourir. Et tout ça ou presque est entièrement de ma faute. Je ne me suis pas écoutée, j'ai fait les mauvais choix. Toi, Sophie, tu voulais une famille, comme Gaëlle voulait de l'argent. Mais moi, je n'enviais rien de tout ça... La seule chose qui m'intéressait, c'était la nature... À presque quarante ans, on ne revient plus en arrière, malheureusement. Il n'y a pas de bouton rewind...

— My God, les girls ! Un litchi martini ou je me suicide tout de suite !

Gaëlle lève la main et commande trois boissons sans demander l'avis de personne.

Paul, le serveur, les apporte à ses clientes du vendredi. Gaëlle arrache presque son verre du plateau.

— Alors qu'est-ce qu'on fait pour changer les choses ? demande-t-elle après l'avoir vidé.

— Tu demandes ça sérieusement ? questionne Nathalie.

— Ben oui... Disons que t'es une coach et que je te consulte. Si tu devais changer quelque chose dans ma vie pour que ça aille mieux, tu ferais quoi ?

— Je ne suis pas bien placée pour donner des conseils... Je ne m'en sors même pas moi-même...

— Et alors ? Tu crois que ça empêche les psys de donner leur avis sur tout et rien, leur façon de vivre ? J'ai déjà baisé avec un sexologue qui était un éjaculateur précoce, moi. Allez, accouche !

— Dans ton cas, tu devrais commencer par mettre un terme à ta relation extraconjugale, déclare Nathalie d'un trait.

Gaëlle éclate d'un rire trop fort, trop nerveux qui se transforme tout à coup en sanglots.

— Qu'est-ce qu'il y a ? demande Sophie, en s'approchant d'elle doucement.

Elle lui caresse les cheveux avec cette bonté maternelle qui ne la quitte jamais.

— Tu ne vas quand même pas pleurer pour ça ! Tu le connais seulement depuis quelques mois.

— Il ne t'a pas fait de mal ? s'inquiète Nathalie, apeurée, en la serrant contre elle.

Gaëlle se redresse sans dire un mot, réajuste sa robe comme si elle allait faire un discours et regarde droit devant.

— J'ai... J'ai... quelque chose à vous annoncer.

Sophie Langlois et Nathalie Clément, qui en vingt-cinq ans n'ont observé chez elle ce comportement que dans les grands tournants de sa vie, ne s'attendent à rien de drôle. Elles ont levé la tête vers Gaëlle, prêtes à tout.

— Je suis... je suis enceinte, les filles.

— Quoi ? De qui, comment, pourquoi ? s'écrie Nathalie.

— Enfin une bonne nouvelle ! s'exclame Sophie en l'embrassant.

— Une bonne nouvelle... ! Mon monde s'écroule ! fait Gaëlle en retombant sur son siège, à moitié groggy.

— Je peux t'accompagner à l'avortement si tu veux, propose Nathalie.

— Avortement ! reprend Sophie indignée. Pourquoi veux-tu assassiner cet enfant ? En as-tu parlé à Jean-Robert ?

— Non...

— Pourquoi ?

— Il n'est sûrement pas le père.

— Quoi ? Es-tu certaine ?

— À 95 %.

— Tu trompes ton mari avec un inconnu et tu n'utilises aucune contraception ? Et lui, les préservatifs, c'est pas son genre, sans doute ? Allô, la chlamydia ? La syphilis ? L'herpès ? Coucou, y a quelqu'un au deuxième ? Bravo, Marie-Madeleine ! Je confirme qu'effectivement, ta vie s'écroule.

— Merci pour votre soutien, madame Clément !

— Franchement, Nathalie, pas fort ton commentaire, remarque Sophie. Elle n'a pas besoin qu'on l'engueule.

— J'ai cessé de prendre la pilule il y a deux mois environ, car je commençais à prendre du poids. Amadou n'aime pas les condoms et, de toute manière, la plupart du temps, on baisait sous l'influence de l'alcool, alors les précautions...

— Puisqu'il est le père présumé, tu devrais peut-être lui en parler, non ?

— Je l'ai fait. Il a très mal réagi.

— Il veut que tu le gardes, c'est ça ? demande Sophie.

— Pas du tout. Il a même eu le culot de me dire qu'il n'est pas convaincu d'être le géniteur...

— C'est normal, tu es mariée ! Donc ?

— Il en a profité pour m'annoncer qu'il est marié et père de six enfants, de quatre mères différentes... dont une qui doit accoucher dans trois mois ! Avec moi ça ferait cinq. Il doit être en train de recomposer une ethnie... Quel salaud !

— Alors, tu avortes ou pas ?

— Ouf, on se calme, Nathalie ! On n'est pas dans un abattoir. Elle porte un enfant quand même !

— Sophie ! Tu viens de me dire que tu ne crois plus à la religion !

— Vous pouvez vous concentrer sur moi deux minutes ? J'suis pas trop intéressée à parler du pape, là... J'ai tellement mal au cœur, j'ai des nausées constamment, c'est dégueulasse !

— Prends un Gravol, j'en ai dans mon sac.

— Oui, volontiers. Mais j'ai besoin d'un litchi martini pour l'avaler !

- - - - -

Comme tous les matins à 8 h précises, Mme Mayfield s'adonne à son activité favorite : le commérage. Une façon comme une autre de faire le plein de pensées négatives pour la journée. Au bout du fil, Mme Silverstein l'écoute attentivement grâce à son appareil auditif.

— Oui, ma chère, je vais finalement pouvoir célébrer !

— Toute une célébration, effectivement !

— Elle ne mérite pas mon fils, de toute façon.

— Oh que non, elle ne le mérite pas.

— Comment va ta nièce Shoshanna ?

— Elle vit maintenant en Israël.

— Quel dommage ! Elle serait un bon parti pour Kurt.

— Ah oui, un très bon parti.

— Que penses-tu de la fille des Chamberlan ?

— Mignonne.

— Sans plus ?

— Sans plus.

— Alors continue de chercher, deux têtes valent mieux qu'une.

— Quels sont ses critères ?

— Ceux de mon fils ? On s'en fiche ! C'est moi qui aurai le dernier mot, donc je choisis. Il faut trouver une version de moi-même, mais plus jeune. Voilà !

— Mais penses-tu que Kurt va accepter de se remettre avec quelqu'un si rapidement ? Je le trouvais tout de même très attaché à ta belle-fille...

- - - - -

Saint-Lambert. Sophie descend les marches d'escalier à toute vitesse, attrape son sac de gym et se précipite vers la porte d'entrée. Kurt court derrière elle.

— Mais où vas-tu ?

— Au gym.

— Maquillée ? Et les enfants, j'en fais quoi ?

— Tu t'en occupes. Ou tu appelles ta mère !

Elle ouvre la porte sans le regarder.

— Mais, chaton, attends un peu...

— Je t'ai déjà dit que je ne veux plus de tes noms d'animaux. J'ai un cours de zumba dans quinze minutes, je suis en retard.

— Mais tu reviens quand ?

— Aucune idée, je t'appellerai. Ciao !

Il la regarde monter rapidement dans la voiture et démarrer en trombe.

Kurt dévale les marches, tente de courir à sa hauteur, mais elle est déjà loin et il respire les gaz d'échappement, le seul parfum qu'elle laisse dans son sillage.

— Ma belette !!!

- - - - -

Gaëlle est toujours au lit, contrairement à ses habitudes matinales, terrassée par les désagréments de sa grossesse.

— C'est pas possible, j'ai tellement mal au cœur ! On dirait qu'il a profité de la nuit pour…

Elle se redresse rapidement et court face au miroir de la salle de bain.

— Ça ne paraît pas encore…

Elle caresse son ventre avec tendresse tandis que Jean-Robert fait irruption dans la pièce. Elle s'entoure immédiatement d'une serviette.

— Bon matin, mon amour ! lui dit-il en déposant un baiser sur son front. Tu as fait la grasse matinée ?

— Désolée de me répéter, mais je suis tellement fatiguée...

— Je sais, chérie, je le vois. C'est pour ça que j'ai décidé de t'offrir quelques jours de vacances. Nous partons dans quarante-huit heures. Bahamas baby ! Wouaw ! Chérie, qu'est-ce que tu as fait à tes seins... ? On dirait qu'ils ont grossi !

Gaëlle enfile un peignoir à toute vitesse.

— Tout est organisé ! continue son mari en la prenant dans ses bras. J'ai appelé ton assistante, elle va s'occuper de tes dossiers durant ton absence.

— Mais...

Il la serre contre lui pour l'empêcher de parler et chuchote de sa voix grave :

— Mon amour, nous avons besoin de nous retrouver. J'ai l'impression que nous nous sommes éloignés l'un de l'autre. Nous passons la majorité de notre temps au boulot, le soir on est crevés et les week-ends, on travaille encore. Pas très bon pour notre couple...

— Tu as raison, Jean-Robert... Mais le moment est mal choisi. Je crois que j'ai une intoxication alimentaire ou une gastro. Je vomis sans arrêt depuis deux jours.

— Tu veux que j'appelle Sam pour qu'il vienne t'ausculter ?

— Mais non, chéri, nous sommes samedi, il doit sûrement être occupé avec sa femme et leurs enfants.

— Il est mon meilleur ami depuis le primaire et ne me refuse jamais rien, il viendra sans problème.

— Laisse tomber, mon amour, c'est vraiment pas nécessaire. Ça va aller, crois-moi. Je saute dans la douche, ta mère nous attend pour déjeuner.

— Toi, si pressée d'aller chez mes parents ? C'est jamais arrivé depuis qu'on se connaît !

— J'ai envie de manger du hareng, personne au monde ne le prépare aussi bien que Margareth. Est-ce que tu crois qu'elle a de la confiture de bleuets ?

— Gaëlle ? Tu es sûre que ce n'est qu'une gastro ? Qu'est-ce que tu veux faire avec du hareng et de la confiture ? Tu prépares un poison, c'est ça ? demande-t-il en riant.

Elle s'enfuit dans la douche, en refermant la porte vitrée derrière elle.

— Je t'aime, Gaëlle Simard ! lui crie Jean-Robert pour couvrir les bruits d'eau. Tu es la femme de ma vie !

- - - - -

Quand elle entre dans l'ascenseur de l'hôpital Pierre-Boucher, Nathalie, stupéfaite, tombe nez à nez avec Vincent, le père de ses enfants.

Elle ne l'avait pas vu depuis plus d'un an.

Muette de surprise et le corps submergé d'adrénaline, elle a le temps de photographier mentalement l'allure de cet homme qui l'a abandonnée avec ses enfants.

Aussi pétrifié qu'elle mais rapetissé par la honte, il est visiblement en pleine crise de la quarantaine : le teint basané, les muscles gonflés aux stéroïdes, une teinture bon marché dans les cheveux, il est vêtu comme un jeune « douchebag » qui sort en boîte.

Il se serre contre la paroi de l'ascenseur.

Nathalie lui tourne ostensiblement le dos, préférant le mutisme et le mépris. Cet homme ne mérite pas de respirer son haleine.

L'ascenseur commence sa course trop longue. Elle scrute les témoins lumineux des étages. Elle pourrait fuir, appuyer sur n'importe quel bouton pour mettre fin à ce duo aphone. Mais ce n'est pas à elle de s'évader ou de se cacher. Elle sortira comme elle avait prévu, à l'étage de Ginette.

Soudain, il lui saisit doucement le bras.

— J'peux te parler, s'il te plaît ?

Elle ne bouge pas.

— Pour moi, tu es mort, dit-elle, face à la porte. Je ne parle pas aux morts. Lâche mon bras.

— S'il te plaît, Nathalie, donne-moi quelques minutes.

L'ascenseur s'arrête enfin. Nathalie secoue la tête, sans se retourner, agitant sa longue chevelure brune devant les yeux de Vincent, et sort d'un pas rapide.

Il la suit:

— Nathalie, écoute-moi, je t'en supplie. Je te dois des excuses.

Elle s'arrête net. Raide. Paralysée. Comme s'il l'avait piquée avec une aiguille de curare.

Il avance à sa hauteur.

— Je m'excuse, Nathalie, répète-t-il, d'un air lamentable.

Ces excuses qu'elle a attendues pendant si longtemps, dont elle espérait la force rédemptrice, qu'elle imaginait, même, suivies d'une réconciliation, ces excuses si faciles et qui ne coûtent rien lui font l'effet d'un attentat contre son intelligence.

Elle tourne vers lui des yeux d'acier, déchirée entre le désir d'exploser et l'envie de lui arracher ses muscles chimiques et son bronzage de baiseur, de le désintégrer.

— Et tu veux t'excuser pour quoi précisément? Les coups? L'adultère? Les mensonges? La pension alimentaire? Les garçons qui demandent après leur père? Ta nullité avec ta mère, avec tes enfants, avec moi?

Il baisse la tête.

— J'ai été le pire des trous d'cul… J'ai honte de moi. J'aimerais réparer les choses.

— Réparer ? Comment comptes-tu « réparer les choses », exactement ? Explique-moi comment on répare du temps perdu ? Il est perdu, justement. C'est trop tard. Beaucoup trop tard.

Elle avance vers la salle d'attente, ne supportant pas la proximité physique de Vincent.

Il la suit, quelques pas derrière elle.

— J'aimerais m'occuper de mes fils, être plus présent dans leur vie, ils ont besoin de leur père. J'ai fait la promesse à ma mère.

— Tu mens, Vincent. Je ne crois plus un mot sortant de ce qui te sert de bouche. Tu t'es caché comme un voleur en République dominicaine pour ramener une pute qui vendait des coquillages comme souvenir de voyage. Monsieur était soi-disant en voyages d'affaires… Tu la baisais à Montréal pendant que je te préparais le souper, car tu arriverais en retard. Tu…

Elle s'arrête et, les dents serrées de rage, parvient à peine à articuler :

— Tu m'as frappée.

Il pose son regard honteux sur elle, comme s'il cherchait les marques des coups dont elle parle.

— Je sais, Nath... Je n'ai aucune excuse. C'est impardonnable, et je ne me le pardonnerai jamais.

— Écoute-moi bien maintenant, reprend Nathalie, surprise de le voir si misérable dans sa défense. La seule et unique raison pour laquelle je ne me suis pas suicidée, c'est Ginette. Et ta mère est en train de mourir. Alors si j'étais toi...

Vincent fait une ultime tentative pour se rapprocher d'elle. On dirait qu'il a besoin de la toucher.

— Je suis un con, Nath. Un irresponsable, prétentieux, imbu et égoïste. Tout le portrait de mon père. Je t'ai abandonnée comme il l'a abandonnée... Je voudrais... je veux...

— Tu veux quoi ? demande-t-elle en reculant. Que je te console peut-être ? Je m'en vais.

Elle se dirige vers la porte de la salle d'attente, mais Vincent, comprenant qu'il lui parle peut-être pour la dernière fois, saisit sa dernière chance :

— Je veux que mes garçons soient fiers de moi, qu'ils sachent qu'ils peuvent compter sur moi en tout temps, qu'ils sachent que je les aime. Je veux qu'ils me pardonnent.

Nathalie, ébranlée, change de sujet :

— Qui t'a mis au courant pour ta mère ?

— Noah. On s'envoie des courriels depuis que j'ai quitté la maison…

CHAPITRE 11

Tout à coup, chez Margareth, tout le monde s'aperçoit que Gaëlle s'est endormie à table... Elle se réveille en sursaut.

— Excusez-moi, bredouille-t-elle, très gênée. Je suis réellement fatiguée ces derniers jours. C'est sûrement le décalage horaire.

— Le décalage horaire ? remarque Jean-Robert en riant. Tu es revenue il y a quelques semaines !

Margareth et son mari se regardent sans dire un mot.

— Tu me passes l'assiette de hareng, s'il te plaît, Maga ? demande Gaëlle en se redressant sur sa chaise.

— Avec plaisir, ma chérie ! Ça me fait vraiment plaisir de te voir manger avec appétit. Un peu de poids te fera du bien et, comme on dit chez nous, « la graisse, c'est la noblesse ».

— Tu trouves que j'ai grossi ? dit Gaëlle, encore endormie.

— Mais non, quelle idée, je fais des blagues.

— À part ta fatigue, tu vas bien, Gaëlle ? s'inquiète Fritz.

— Très bien, pourquoi ? Je n'ai pas l'air d'aller ?

— Pas du tout, au contraire, tu as bonne mine.

— C'est le Botox.

— Tu veux du Tabasco ? propose Margareth pour changer la direction que son mari semble vouloir donner à la conversation.

— Ah non, ça me donne des hémorroïdes !

— Carline a passé sa deuxième échographie et le bébé grossit, j'ai tellement hâte !

— C'est super, bonne nouvelle ! Elle va bien ?

Les trois convives se tournent vers Gaëlle, surpris par son commentaire. Elle n'a jamais démontré d'intérêt pour les grossesses de sa belle-sœur.

— Veuillez m'excuser, je dois encore aller à la salle de bain, déclare-t-elle en se levant.

— Tu bois trop d'eau, mon amour.

— J'ai plutôt une infection urinaire ou vaginale... Je ne porte jamais de sous-vêtements, c'est trop inconfortable. Mais ça me donne la cystite. Aurais-tu de la crème Canesten, Margareth ?

— Pardon ? ? ?

— Vraiment, Maga, ne fais pas cette tête ! On dirait ma copine Sophie…

- - - - -

— Bravo, Sophie, ça va bien ! Encore trente minutes de cardio et ce sera terminé pour aujourd'hui.

Sophie transpire à grosses gouttes durant ses exercices.

Un deux pour un : un exutoire à sa colère envers Kurt et sa mère, et une cure d'amincissement.

Elle a déjà perdu en poids ce qu'elle a gagné en estime d'elle. Pour la colère, toutefois, les effets sont moins visibles… Quand elle sort du gym, elle boit des litres d'eau en rentrant chez elle, essaie un nouveau vêtement de sa garde-robe et se pavane devant le miroir. C'est sa récompense quand ils lui vont, sa motivation quand ils lui iront !

— D'ici quatre à six semaines, tu vas sûrement atteindre ton poids désiré. Tu sais, j'adore voir les progrès de mes clientes. On dirait que c'est moi qui les perds, tes kilos !

— En tout cas, sans toi, je n'aurais pas maigri, ça c'est sûr.

— Et ton alimentation, tu suis mes recommandations ?

— Oui, chef, à la lettre !

— Bravo ! Tu es ma dernière cliente ce matin, si tu veux, allons déjeuner ? J'habite à deux coins de rue d'ici et je fais les meilleures omelettes de l'Amérique du Nord, tu vas voir…

— Merci, il faut que j'amortisse la carte de crédit de Kurt… tant que je l'ai. Tu veux m'accompagner ? C'est lui qui t'invite !

\- - - - -

Mme Mayfield monte le ton dans le cabinet de Me Labonté, l'avocat qu'elle ne manque jamais de consulter pour connaître ses droits et les obligations des autres.

— Et pourquoi ne pouvez-vous pas simplement faire une annulation de mariage ?

L'homme inspire profondément en joignant ses deux mains, doigt contre doigt. Sa cliente ne comprend jamais ce qui ne l'arrange pas.

— Madame Mayfield, je vous le répète. C'est une question de droit. Pour qu'il y ait annulation de mariage, il faut des motifs reconnus par la loi annihilant le consentement donné par les époux au moment de l'union. Détester sa belle-fille n'est pas une cause d'annulation.

— Même si elle me déteste depuis ce moment ? remarque la vieille dame en ruminant quelque chose.

— Même dans ce cas. La mésentente avec la belle-famille ne peut en aucun cas donner lieu à l'annulation.

La loi connaît trois causes de divorce. La séparation, la cruauté ou l'adultère. Sont-ils déjà séparés ?

— Pour moi, oui.

— Madame Mayfield, c'est une question de fait, non d'opinion.

— MA réponse est d'une importance capitale dans ce dossier puisque je suis celle qui assume vos frais. Avec votre taux horaire de 1 000 dollars, me donner des réponses satisfaisantes serait la moindre des choses. Alors, on reprend : sur le plan financier, quelles sont les obligations de mon héritier envers cette fermière de luxe entretenue ?

Me Labonté ferme le dossier posé sur la grande table de la salle de réunion.

— Tout ce qui a été acquis avant le mariage demeure la propriété unique de votre fils, ce qui a été acquis après doit être divisé par moitié.

— Vous me rassurez, soupire-t-elle, détendue. La maison où ils vivent m'appartient ainsi que les deux véhicules.

— Si, comme la plupart des couples mariés, votre fils Kurt a opté pour le régime matrimonial de la société d'acquêts, il n'aura pas à partager son héritage avec madame, car il fait partie de ses biens propres. En revanche, n'ayant jamais travaillé à l'extérieur du foyer, celle-ci peut prétendre à une pension alimentaire.

— Ça, c'est un comble ! Comme elle n'a jamais levé le petit doigt, c'est Kurt qu'on punit ! Jamais, vous m'entendez ? Jamais !

— Si vous me permettez, madame Mayfield, elle a quand même élevé…

— Je ne vous permets pas ! s'écrie-t-elle en faisant claquer son bracelet doré sur l'érable poli de la table. Vous ne savez rien de cette traînée ! Elle aura 150 dollars par semaine. C'est ce que je donne à ma femme de ménage. Pas un sou de plus.

Elle a reculé sa chaise, résolue.

— Les tribunaux jugeront cela insuffisant…

— Mais vous êtes mon avocat ou le sien à la fin ? Bon, 175 dollars. Elle n'a aucuns frais pour le dernier-né, il est encore au sein. Elle économise donc sur le lait. J'ai un bridge, je vous laisse.

Furieuse, elle quitte son avocat, qui regarde sa montre. Deux mille dollars plus les taxes.

- - - - -

Hôpital Pierre-Boucher.

La destination quotidienne de Nathalie depuis ces dernières semaines. À l'heure du dîner ou après le travail, elle se porte au chevet de Ginette Lamoureux, merveilleusement soutenue par le docteur Alphonse.

— Soyez honnête, docteur. Elle dépérit à vue d'œil...

Près de Nathalie, Gigi, endormie, n'est plus que l'ombre d'elle-même.

— Son temps est compté... Nous ne pouvons plus rien faire. Je suis vraiment désolé, soupire le médecin. Il faut que vous vous prépariez...

Nathalie observe la chambre glauque, sinistre, qui sent le désinfectant et le mauvais souper.

— Je ne veux pas qu'elle passe ses derniers jours ici... C'est trop déprimant, elle ne mérite pas ça. J'ai loué un chalet dans les Laurentides... Est-ce que je peux l'emmener ? Ça lui ferait tellement plaisir !

— Je vous comprends, madame Clément. Je signerai son congé et vous donnerai quelque chose pour ses douleurs.

Sa voix amicale, humaine, réconforte Nathalie. Cet homme lui fait du bien, et c'est rare pour un médecin.

— Vous savez, docteur, je... Je suis complètement perdue sans elle. J'essaie de garder le moral, mais... Mes fils aussi sont très affectés. Ce sera un énorme vide dans notre vie lorsqu'elle... nous quittera.

Nathalie fond en larmes. Le médecin, ému, serre le dossier de sa patiente entre ses mains, comme s'il prenait Nathalie entre ses bras.

Il s'accroupit près d'elle.

— Madame Clément... Il y a six ans, j'ai perdu mon épouse dans des circonstances similaires. Je sais ce que vous ressentez. Non parce que je suis oncologue. Mais parce que je suis veuf. Si je peux faire quoi que ce soit pour vous aider, s'il y a des questions que vous voulez me poser, ou si simplement vous éprouvez le désir de parler, vous pouvez compter sur moi. Vous voyez, dit-il en regardant Ginette, je ne suis pas d'un très grand secours... Mais si la médecine ne peut rien, un être humain peut toujours aider un autre humain qui souffre. Parfois, la meilleure médecine est simplement de se confier... Je vais préparer le congé.

— Merci, docteur, sanglote-t-elle. Merci du fond du cœur.

Il sort de la pièce et plonge Nathalie dans un vide qu'elle ressent jusque dans son ventre.

Peu après, elle quitte l'hôpital, et se précipite dans un IGA pour acheter le souper des garçons avant de rejoindre les filles au Café Asada.

Ensuite, elle organisera les préparatifs de départ pour les Laurentides.

- - - - -

Café Asada.

— Comment va Ginette ?

— Je pars avec elle demain matin, j'ai loué une magnifique maison en bois rond sur le bord d'un lac. J'ai pris congé à l'école pour une période indéterminée, car je veux être à ses côtés tous les jours jusqu'à sa mort.

— Mais ça va te coûter une fortune ! Je peux t'aider si tu veux, ça me fait plaisir.

— T'es gentille, Gaëlle, mais ce ne sera pas nécessaire, Vincent va payer.

— Vincent ? On parle bien de Vincent Lamoureux, le père de tes enfants ? demande Sophie, interloquée.

— Oui, madame ! Incroyable mais vrai... Depuis notre fameuse rencontre dans l'ascenseur, non seulement il va acquitter les frais, mais, en plus, il a décidé de s'occuper des garçons. Il les voit tous les jours.

— Il veut toucher l'héritage de sa mère, le trou d'cul ! remarque Gaëlle.

— Au contraire, il sait très bien qu'il n'aura pas un sou. Ginette l'a averti. Ça ne semble pas le déranger. Il m'a même dit que l'argent et les biens doivent me revenir ainsi qu'à ses fils.

— Il a eu une bulle d'air qui a éclaté au cerveau ? demande Gaëlle.

— Il s'est fait larguer par sa bomba latina il y a quelques semaines… Non seulement elle a foutu le camp dans son pays sans l'avertir, mais, en plus, elle lui a laissé une note qui disait simplement : « Maintenant que j'ai obtenu mon statut de résidente permanente, je vais enfin pouvoir me trouver un homme. » Olé ! ajoute Nathalie en imitant une danseuse avec des castagnettes.

Gaëlle et Sophie rient aux éclats.

— C'est le karma, enchaîne Sophie, le sourire aux lèvres. Lorsque tu craches dans les airs, ça finit toujours par te retomber dessus. Un peu comme mon mari, finalement. Son karma ne saurait tarder…

— Qu'est-ce que tu veux dire ? Tu l'as quitté ?

— Presque… Comme disait le poète Hervé Bazin : « Ça ne s'apprend jamais trop tard, la liberté. » Je serai bientôt libre de Kurt et surtout de ma belle-mère.

— Tu n'as pas peur de te retrouver seule avec quatre enfants ? Tu vois bien comment je pédale avec les miens !

— Ça ne changera pas grand-chose. J'ai toujours eu l'impression d'être seule à m'en occuper. Ça me fait plaisir d'ailleurs. Maintenant, la seule chose que j'attends, c'est son fric. On en est presque toutes rendues là, non ?

— Ah, enfin je me sens comprise ! soupire Gaëlle en extase. Le seul aphrodisiaque, c'est le fric.

— En parlant de jouissance, j'ai quelque chose à vous confier.

— Toi ? Tu veux parler d'orgasme ? ricane Gaëlle. Tu me fais peur ! Tu as découvert une nouvelle église pour la messe, c'est ça ?

— Je suis sérieuse... Je viens de vivre... Le plus gros orgasme de ma vie ! C'était fantastique ! Je ne savais pas qu'on pouvait ressentir tout ça dans son corps, cette chaleur, cette...

— Arrête, tu m'excites, l'interrompt Gaëlle. J'ai beau être enceinte, ma libido est toujours là... Tu as testé les boules chinoises que je t'avais suggérées ?

— Bien sûr que non, Gaëlle, je déteste ces gadgets sexuels. J'ai besoin de tendresse.

— Voilà que ça la reprend ! Bon, alors ?

— Raconte ! insiste Nathalie. Tu as un amant, c'est ça ?

— Sophie, un amant ? Mais t'es folle, Nath ! Elle vit comme une sœur cloîtrée, tu veux qu'elle rencontre qui à part le facteur ? En plus, il souffre d'acné sévère celui-là, anyways...

— Alors, je vous annonce... comment vous dire... ça me gêne vraiment.

— Accouche vite, on VEUT savoir !

— Je n'ai pas d'amant... J'ai...

— Un animal ?

— Gaëlle !

— Mais quoi ? Si ce n'est ni un homme ni un gadget, qu'est-ce que tu veux que ça soit ?

— Une maîtresse, confie finalement Sophie, les yeux baissés.

— Tu baises avec un vagin ? J'adore ! s'exclame Gaëlle en riant.

— Ne sois pas si vulgaire, Gaëlle Simard, franchement ! Avant de venir, je me suis demandé si j'allais vous le dire ou attendre un peu. Je vous avoue que c'était un coup de folie au début, comme un défi… et puis finalement… Voilà, c'est plus profond que ce que je croyais et ça me met encore un peu mal à l'aise. J'ai toujours peur d'être jugée…

— Jugée par qui ? Nath et moi ? Jamais ! Qui sommes-nous pour te juger de toute façon ? On t'aime et on t'accepte comme tu es. N'est-ce pas, Nath ?

— Absolument !

— Bon, maintenant, les détails ! Je veux tout savoir sur tes cunnilingus, les préludes, les postludes, tout !

— Gaëlle, s'il te plaît. C'est déjà embarrassant de vous en parler sans bégayer.

— C'est qui, d'abord ? On la connaît ?

— Chantal…

— Chantal, ton entraîneure privée au gym ? La fille avec les gros seins parfaits dans sa camisole moulante ?

— Il n'y a pas que le physique dans la vie, Gaëlle…

— Ah, parce qu'elle est amoureuse en plus ! Quand je pense que je me faisais donner des leçons de morale pour une relation standard, hétéro, tout ce qu'il y a de plus conventionnel…

— Je suis contente pour toi, Sophie. Tout ce qui compte, c'est que tu sois heureuse, dit doucement Nathalie.

— Et moi, je suis *tellement* heureuse de savoir que tu vas finalement épiler la taïga ! continue Gaëlle sur le même ton. C'est tellement agréable d'avoir le mont de Vénus défraîchi de sa forêt amazonienne. Qu'est-ce que vous faites toutes les deux exactement, d'un point de vue sexuel ?

— Gaëlle, please ! rigole Nathalie. Laisse-la tranquille ! Comment est-ce que ça a commencé, Sophie ?

— Au début, j'ai ressenti une attirance. Elle est tellement belle, motivante, drôle, passionnée par la vie ! Je ne comprenais pas ce qui m'arrivait… J'avais des papillons au ventre à chaque séance d'entraînement. Après notre dernière séance, on a passé l'après-midi ensemble, puis elle m'a invitée à manger une omelette chez elle…

— J'avoue…, remarque Gaëlle, moqueuse.

— Et nous nous sommes embrassées, très naturellement. Tout le contraire de Kurt, en fait.

— Moi, c'est la suite qui m'intéresse, poursuit Gaëlle. Ton orgasme, par exemple. Vaginal ou clitoridien ?

— Ça va comment, tes nausées, à propos ? demande Sophie.

— À propos de quoi au juste ? Bref. Mes nausées continuent, bien sûr.

— Dès que tu te feras avorter, tous les symptômes vont disparaître.

— Et qui t'a dit qu'elle va se faire avorter ?

Sophie cherche la réponse dans les yeux de Gaëlle.

— Je ne sais pas. Je ne sais plus... Parfois, je me dis que c'est peut-être le destin, j'aurai quarante ans cet automne... Peut-être que le temps est venu pour moi d'avoir un enfant. La nuit dernière, j'ai rêvé que j'étais dans un parc pour enfants avec une poussette et...

— La seule chose que tu risques de pousser, ma vieille, c'est ton mari. Tu vas le pousser au divorce tranquillement pas vite ! remarque Nathalie. Comment veux-tu qu'il accepte ça ? Il finira bien par le savoir un jour, un mensonge ne dure pas si longtemps.

— En plus, il paraît que c'est douloureux, un avortement. Je déteste la douleur.

— On voit déjà quelque chose ? demande Sophie en cherchant son ventre du regard. Tu as choisi un prénom ?

— Voyons donc, Sophie, continue Nathalie. Gaëlle a trente-neuf ans, un enfant qui n'est pas de son mari et toi, tu célèbres la joie dans les familles alors que tu viens d'en sortir ! Sois réaliste, quand même !

— Halle Berry a eu son deuxième enfant dans la quarantaine avancée, même chose pour Carla Bruni et Monica Bellucci, répond calmement Sophie. Ce pauvre petit n'a rien fait et tu veux déjà le tuer…

— Pouvez-vous arrêter de parler de moi comme si je n'étais pas là ? Je n'ai pas encore pris ma décision, j'ai besoin de réfléchir.

— Le temps presse, ma belle… Si tu avortes, Nathalie te tiendra la main, et si tu accouches, c'est moi… Alors, on est là de toute façon… Ça fait plus de vingt-cinq ans qu'on est là d'ailleurs. Alors, cheers !

CHAPITRE 12

Dans le loft de Chantal, Sophie s'abandonne au massage de sa maîtresse. Une douce odeur d'encens flotte dans l'appartement et se mêle au son d'une flûte de pan relaxante.

Après des années de solitude, son corps retrouve enfin la chaleur du contact. Des sensations se réveillent en elle et font remonter du passé des émotions oubliées. Tendresse, sensualité, complicité... Chantal glisse délicatement de vertèbre en vertèbre.

— Tu es tellement belle, Sophie...

— Vraiment ? Belle, moi ?

Sa voix étouffée sourit dans l'oreiller.

— Tu es sublime, Sophie. Pourquoi en doutes-tu ?

Elle se retourne pour voir Chantal en face. Elle, elle est belle. Son corps nu, c'est à la fois la grâce et la puissance.

— Je ne me suis jamais trouvée... belle. Mignonne parfois, mais belle, non. Gaëlle et Nathalie sont belles. Moi, je suis... moyenne !

Chantal dépose un baiser rapide sur ses lèvres.

— Tous les goûts sont dans la nature ! Nathalie est très jolie, mais sur toutes les photos que tu m'as montrées, elle semble toujours déprimée. Quant à Gaëlle, c'est une beauté fabriquée ! Trop d'artifices, trop, trop, trop ! Je préfère les femmes plus nature, sans artifice, comme toi. Tourne-toi, je n'avais pas fini.

Sophie se replace à plat ventre sur le lit aux draps de satin rose.

— Tu me gênes…

— Je sais. Chaque fois que je te fais des compliments, tu deviens hyper mal à l'aise.

— Je crois que je ne suis pas habituée. Kurt ne m'a jamais complimentée que sur mes qualités de bonne à tout faire…

— La plupart des hommes considèrent les femmes comme ça… Mais entre nous, je te promets, ça ne sera jamais…

— Ça me fait peur parfois, tu sais, réplique Sophie, profitant de sa cachette dans l'oreiller.

— Peur de quoi ? demande Chantal en continuant de la masser.

— J'adore être avec toi, tu me fais sentir femme, désirée, grâce à toi j'ai découvert l'orgasme, le vrai. Mais…

— Je ne te demande rien, Sophie. Profite juste du moment présent. Oublie ton mari, ton lavage, ta belle-mère...

— J'ai un peu l'impression de vivre une double vie... C'est contre mes valeurs, mes principes, mes...

— ... et en accord avec ton cœur, ton désir et tes rêves... Alors prends ton temps, rien ne presse. Je suis là et je ne bougerai pas. Attendons de voir comment les choses vont évoluer entre nous, ensuite on verra. Cesse de te casser la tête, Sophie.

— Il ne me reste qu'une heure de liberté, dit Sophie en vérifiant le réveil d'un œil.

— Alors, profitons-en, mon amour.

- - - - -

Saint-Lambert. Mme Mayfield est bien sûr entrée dans la résidence de son fils sans s'annoncer.

— Kurt ! Kurt darling, where are you ?

— Je suis à la cuisine, mother, répond la voix atone de son fils.

Elle enjambe les jouets des enfants éparpillés partout dans la pièce et, dans la cuisine, croise une pile d'assiettes qui débordent de l'évier jusqu'au comptoir, menaçant de se fracasser sur le sol. La poubelle, laissée à elle-même depuis longtemps, exhale un parfum d'abandon. Kurt, la mine basse, finit une pizza trop molle.

— Kurt ! My God, que se passe-t-il ici ? Sophie !!!

— Elle n'est pas là…

— Et où est-elle ?

— Aucune idée, répond Kurt en contemplant la pizza qu'il n'a même pas su réchauffer.

— Bon… Le divorce tout de suite ! déclare-t-elle d'un ton définitif.

— Mais…

— Tu as rendez-vous au bureau de Me Labonté demain à 10 h. J'ai pris note de tout ce que tu vas lui dire, tu n'auras qu'à signer. L'huissier viendra lui signifier la situation le lendemain.

— Mais, mother, tente Kurt en poussant légèrement la table devant lui avec cette pizza dégoûtante, je ne veux pas divorcer ! J'aime ma femme, j'aime nos enfants.

Mme Mayfield, debout dans ce désordre et inoxydable aux sentiments de son fils, n'a rien entendu. Elle ramasse l'assiette de Kurt et la jette dans l'évier.

— J'ai trouvé une nounou de Glasgow. Elle viendra s'occuper de tes descendants et de cette auge à cochons.

— Mais, mother…

— Pas un mot, Kurt ! Pendant des années tu as fait selon ton bon vouloir, et regarde ou ça te mène. Je n'ai jamais voulu m'ingérer dans ta vie, préférant te suggérer, mais je m'aperçois que tout ça n'a servi à rien. Alors oublie cette Québécoise, et écoute-moi maintenant !

- - - - -

Bureau du docteur Lavallée, gynécologue.

— Alors, Gaëlle, avez-vous pris une décision ?

Elle se mord la lèvre. Elle attendait cette question.

— Pas encore... je suis incapable de me brancher. Parfois j'ai envie de le garder, parfois non.

— Qu'est-ce qui vous inquiète ?

— Mais absolument tout, docteur !

Elle se lève nerveusement afin de parler plus librement de ses angoisses sans voir le regard plein d'expérience du spécialiste. Il va trouver stupide ce qu'elle a à dire.

— Les premiers symptômes sont déjà complètement insupportables ! Mes seins gonflent, mon ventre ballonne... L'idée de ressembler à un béluga échoué sur une plage ne me plaît pas du tout et je ne vous parle pas des vergetures qui vont envahir mon ventre plat !

— Si vous décidez de poursuivre la grossesse, le deuxième trimestre ira mieux, répond calmement le gynécologue qui ne veut pas l'influencer.

— OK, j'comprends, rétorque Gaëlle en s'asseyant sur le bureau. J'me fais chier pendant le premier trimestre, j'ai un break durant le deuxième et j'accouche dans la douleur avec déchirure vaginale en bonus dans le troisième. Ensuite, je me le tape jusqu'à ses premiers boutons d'acné. C'est super, votre programme !

— Et votre conjoint, en avez-vous discuté avec lui ?

— Pas encore...

Le médecin dépose ses lunettes sur le bureau.

— Cette décision se prend généralement à deux... D'autant plus qu'il est probable qu'il s'agisse de votre dernière...

Gaëlle se lève et reprend sa petite fuite loin des yeux du spécialiste. Oui, cette décision se prend à deux. Mais au bout de ces décisions, il n'y a souvent plus qu'un des deux qui se sente concerné. Et c'est généralement la femme.

Le médecin attend sa prochaine question.

— Est-ce que je vais pouvoir continuer mes injections de Botox ?

— C'est totalement prohibé, madame Simard, répond-il en se levant à son tour. Aucune injection de Botox ou d'acide hyaluronique avant la fin de la grossesse ou de votre éventuel allaitement. Vous comptez allaiter ?

— Et pour la baise ? Est-ce que je vais pouvoir continuer de baiser durant toute ma grossesse ?

— Il n'y a pas de contre-indication.

— Le pénis de mon mari ne risque pas de faire mal au bébé ? Je ne voudrais pas qu'il défonce son crâne parce que vous savez, il a une… un…

— Donc, si je comprends bien, vous aimez déjà votre enfant, Gaëlle ?

- - - - -

Sur le chemin vers Sainte-Marguerite-du-Lac-Masson, les bourgeons des arbres éclosent sous un soleil radieux.

— C'est tellement beau, la campagne québécoise ! s'exclame Ginette d'une voix si faible qu'on perçoit à peine son engouement. Lorsque j'étais enfant et que je venais y passer mes vacances, je souhaitais venir m'installer dans les Laurentides. Malheureusement, mon ex-mari préférait la ville. Tu vois, je n'y suis pas née, mais, au moins, je vais y mourir...

Nathalie détourne son visage et fait mine de se concentrer sur la route. Il n'y a personne. Elle ralentit pour permettre à sa passagère de profiter du paysage. Un des derniers qu'elle verra sur Terre.

— C'est vrai que c'est beau, dit-elle très rapidement pour ne laisser percer aucune émotion.

Ginette semble si calme devant ces montagnes tranquilles. La nature n'a jamais été aussi belle. La vie jaillit de chaque brin d'herbe et Ginette va bientôt mourir.

Nathalie essuie ses larmes d'un revers de manche.

— Gigi, comment fais-tu pour être aussi sereine ?

— J'ai accepté, Nathalie. Il n'y avait rien d'autre à faire. Ce n'est pas moi qui me retire de la vie, mais elle qui se retire de moi. Pour m'emmener dans une autre, certainement...

— As-tu peur ?

Elle approche sa main du bras de sa belle-mère, qu'elle sent paralysée par la tristesse, puis regrette aussitôt cette question. Comment n'aurait-elle pas peur ? La souffrance, l'adieu à tout, l'énigme ultime... Cette question est stupide.

— Pourquoi craindre ce qu'on ne connaît pas ? C'est ta vie qui me fait peur, Nath. Parce que je la connais. Tu ne peux pas continuer comme ça. On arrête acheter des croissants à la boulangerie ?

- - - - -

Lorsque Sophie s'arrête à son épicerie, elle se heurte presque à Mme Mayfield au rayon bio. Stupéfiées toutes les deux, mais chacune pour des raisons différentes, elles restent quelques secondes l'une en face de l'autre, telles des chiennes avant de mordre. Sophie, persuadée qu'on peut voir sur son visage ce qu'elle vient de vivre avec Chantal, fait un léger geste de recul. Sa belle-mère en profite sournoisement pour faire un pas en avant.

— Et si tu allais plutôt t'occuper de la porcherie qui te sert de maison ? Comment peux-tu laisser tes enfants vivre dans un endroit pareil ?

— Madame Mayfield, je n'ai plus rien à faire de vos insultes, réplique violemment Sophie en forçant son courage. Je fais ce que je veux chez moi et vous ne me parlez pas sur ce ton !

— Parce qu'en plus, MADAME se révolte ? On aura tout vu ! Je suis la grand-mère de tes enfants, que ça te plaise ou non. Et cette maison que tu laisses à l'abandon est la mienne. Qu'est-ce que je dois faire ? Alerter la DPJ peut-être ?

— Faites ce que vous voulez, répond rapidement la jeune femme en choisissant au hasard des articles pour se donner une contenance. Votre avis ne m'intéresse pas.

— Quelle insolence ! Après tout ce que j'ai fait pour toi !

— Pour moi ? répète Sophie en lâchant brusquement son chariot. Mais vous n'avez jamais fait de choses que pour vous, madame Mayfield ! Et vous avez donné l'exemple à votre fils, incapable de penser à quoi que ce soit d'autre que lui, lui, lui et encore lui ! Ce n'est pas une famille que vous formez, c'est une amicale de l'égoïsme entretenue par l'argent d'un macchabée !

— Sophie ! Je t'inter...

Mais sa belle-fille, déchaînée comme si elle s'était soudainement métamorphosée en Gaëlle, reprend le guidon de son chariot et le pousse de toutes ses forces dans sa direction. Mme Mayfield, plaquée contre les tisanes de camomille, de tilleul et de millepertuis, ne parvient à l'éviter que de justesse, bouche bée, au bord de la crise d'hyperventilation.

\- - - - -

Le cellulaire de Gaëlle vient de sonner dans la voiture. C'est Margareth. Gaëlle n'a jamais fait passer le Code de la route avant ses envies et répond en augmentant légèrement sa vitesse, car sa belle-mère l'agace déjà et elle n'est plus qu'à une centaine de mètres de son condo.

— Ma cocotte ! Je viens de parler à Jean-Robert... Il se réjouissait tellement !

Un haut-le-cœur saisit Gaëlle. Qui lui a parlé ? Comment a-t-elle su ? Le médecin ? Une secrétaire qui aurait entendu la conversation dans le bureau du gynécologue ?

— Il m'a dit qu'il souhaitait t'emmener en vacances et tu as refusé...

Soulagée, elle range la voiture devant la maison. Margareth continue :

— Il s'inquiète pour toi, tu sais, et... moi aussi. Nous tous, on s'inquiète...

— Il va falloir que je raccroche, Maga, excuse-moi… Mon assistante m'appelle sur l'autre ligne. Tout va bien, ne t'inquiète pas. On se parle plus tard.

Elle se précipite chez elle, s'engouffre dans la salle de bain et régurgite en jets.

Jean-Robert, qui l'a vue passer en trombe, vient la rejoindre.

— Qu'est-ce qui se passe, mon amour ? Tu n'arrêtes pas de vomir depuis un certain temps.

— Salut, chéri, qu'est-ce que tu fais à la maison à cette heure ? demande-t-elle du ton le plus radieux que possible en essuyant sa bouche encore baveuse. T'es pas au bureau ?

Il s'approche d'elle et la prend dans ses bras.

— Je voulais te faire une surprise et passer du temps avec toi. Tu n'as pas faim, je suppose ?

Elle regarde la chasse d'eau qu'elle vient d'actionner.

— Ben, tu vois…

— Je t'ai apporté quelque chose. Dans la cuisine… Tu vas voir ?

Un peu surprise, Gaëlle se dirige vers la pièce. Pourquoi Jean-Robert n'a-t-il pas posé plus de questions sur ses vomissements à répétition ? Est-il en train de se détacher d'elle ?

Dans la cuisine, elle découvre sur le comptoir en granit un immense bouquet de roses rouges. Ses préférées. Elle se retourne, presque inquiète. Jean-Robert, derrière elle, les poings serrés, examine attentivement sa femme.

Gaëlle s'approche des fleurs et saisit l'enveloppe attachée à une tige. Elle l'ouvre.

Son cœur s'arrête de battre.

« Je t'aime et je t'aimerai toujours. Dis-moi la vérité. »

La voix de Jean-Robert, faible mais calme, résonne dans son dos :

— Dis-moi la vérité ma chérie. S'il te plaît…

— La vérité sur quoi ? réplique Gaëlle en se retournant pour faire face à son mari.

Elle est meilleure dans l'attaque que dans la défense.

— La vérité sur ton état. Je ne suis pas dupe, mon amour. Tu vomis sans arrêt, tu es extrêmement fatiguée, tu t'endors à la moindre occasion… Même tes seins sont gonflés. Donc ?

— Donc j'ovule. C'est quoi le problème ?

— T'es enceinte.

— Quoi ?

Il desserre les mains sous ses yeux.

— Tiens, c'est un test de grossesse. Ça va prendre deux minutes.

— OK, OK, c'est bon. J'suis enceinte, voilà... Je ne t'en ai pas encore parlé parce que je ne sais pas encore ce que je veux faire ... Sincèrement, continue-t-elle en prenant sa voix enfantine tout en s'approchant de lui pour s'abriter dans ses bras, c'est la décision la plus difficile que j'aie eu à prendre de toute ma vie !

Mais Jean-Robert ne cède pas à cette petite manipulation. Il se sert un verre d'eau.

— Bonne raison pour m'en parler, tu ne crois pas ? Je suis quand même un peu concerné...

— Je sais à quel point tu désires un enfant. Moi, ça me fait peur !

— Peur de quoi ? Est-ce que je n'ai pas toujours été là pour toi ?

C'est vrai. Jean-Robert n'a jamais failli. La seule chose qu'elle ait à lui reprocher, justement, c'est de l'avoir toujours traitée avec amour et respect. Et c'est à cet homme rare qu'elle est en train de mentir, les yeux dans les yeux.

— Tu me prends pour qui, Gaëlle ? Un homme rose ? Il n'y a rien de rose sur moi. J'ai travaillé dur, je n'ai jamais fui une seule responsabilité, ni envers toi ni envers mes parents. Je suis un homme qui assume. Pas une de ces chiffes molles que tu vois dans tes séries québécoises et dans les pubs pour Desjardins. Je me lève, j'agis, je construis. Et j'en suis fier. Alors pourquoi es-tu si mal à l'aise ? Est-ce que tu veux me le dire ?

Elle tente à nouveau de s'approcher de son torse, imprégnée de honte. Mais il esquive. Jamais il ne lui a semblé si viril, si sûr de lui. Elle se sent indigne.

— J'accepte tout de toi parce que je connais ton passé, poursuit-il. Mais je ne veux plus jamais voir dans tes yeux un seul doute sur l'homme que j'ai été, que je suis, et que je ne cesserai jamais d'être. Et cet homme, c'est aussi un père.

Gaëlle, le ventre creusé par le remords et habité par un mensonge, sent un goût salé inonder ses gencives.

C'est sa vie qu'elle a besoin de vomir.

CHAPITRE 13

Elle est arrivée la première au Café Asada.

Attablée seule, perdue dans ses pensées, elle observe une femme dans la fin trentaine occupée à allaiter son nouveau-né. Celle-ci finit par remarquer l'attention dont elle est l'objet.

— Je vous regarde aller depuis tout à l'heure et ça me fascine, explique Gaëlle.

— Ça vous dérange que j'allaite en public ?

— Pas du tout, au contraire. Ça me touche de vous voir le nourrir avec autant de tendresse.

— Merci, c'est gentil. Avez-vous des enfants ?

— Non. C'est-à-dire... oui... presque. Je suis enceinte.

— Mes félicitations.

Nathalie et Sophie, qui viennent d'arriver, approchent. Ensemble, elles forment rapidement un petit groupe autour du bébé, quand soudain Gaëlle déclare, les yeux toujours rivés sur le nourrisson :

— J'vais le garder.

— Quoi ? fait Nathalie en reculant d'un pas tout en interrogeant Sophie du regard pour voir si elle a entendu la même phrase.

— Je vais poursuivre ma grossesse, confirme Gaëlle.

— Je suis tellement fière de toi ! s'exclame Sophie, enjouée, en l'embrassant. C'est le plus beau jour de ta vie !

— Jean-Robert est au courant ?

— Oui, Nath, je lui ai dit. Il s'en doutait depuis un moment et il m'a confrontée.

— Il doit être fou de joie !

— Tu lui as dit la vérité ? s'inquiète Sophie.

— Bien sûr que non ! Tu imagines le scandale ? C'est un divorce assuré.

— Donc…

— Donc rien. Nous allons avoir un enfant dans sept mois dont le géniteur est black lui aussi. Ma belle-mère sera aux anges, mon mari l'est déjà et le bébé se porte à merveille. Donc, où est le fucking problème ?

Les amies se regardent, puis éclatent de rire. Gaëlle a un talent fou pour se simplifier la vie.

— Et vous, les filles ? Toi, Sophie, as-tu mis Kurt au courant de ta relation avec Martina Navratilova ?

— Pas encore... Et je ne sais même pas si je vais le faire. Je me sens tellement perdue...

— Ouin... Tu es prise entre un clitoris et un gland comme d'autres entre l'arbre et l'écorce. Au moins, c'est plus jouissif.

Le cellulaire de Sophie sonne. C'est Mme Mayfield. Elle montre avec surprise son nom sur l'afficheur.

— Maudite fatigante ! Ne réponds pas ! conseille Gaëlle.

— C'est sûrement urgent... Elle n'oserait plus m'appeler pour rien maintenant.

Elle décroche.

— La seule urgence acceptable serait qu'elle soit en train de crever. Ce ne serait pas une urgence, mais une délivrance.

— Madame Mayfield... ?

— Kurt est transporté en ambulance. Rentre immédiatement !

— Qu'est-il arrivé ?

— Je n'ai pas le temps ! Rentre immédiatement, les enfants sont seuls !

Elle raccroche aussitôt.

Le trio s'organise très vite : Nathalie accompagnera Sophie à l'hôpital pendant que Gaëlle s'occupera des enfants. En moins de deux minutes, les trois femmes ont quitté le restaurant.

À l'hôpital Charles-Lemoyne, elles trouvent Kurt allongé sur une civière, en piteux état. À moitié conscient, déjà sous sédatifs, il attend dans le couloir des urgences.

Sophie s'approche, terrorisée.

— Kurt a fait une tentative de suicide, t'es contente ?

Mme Mayfield, sortant de l'ombre, s'est avancée vers sa belle-fille, menaçante, comme Angela Merkel vers la Grèce. Seules les convenances la retiennent de ne pas exécuter Sophie dans ce couloir sordide.

— Mais ton plan a échoué... Tu voulais l'héritage, tu attends mon argent depuis le premier jour. Tu as même offert ton ventre à mon fils pour profiter un jour de tout ça, éructe-t-elle en décrivant d'un large geste des trésors imaginaires. Mais tu n'auras rien ! Tu crèveras de misère avec les tiens. Rien, tu m'entends !

Sophie se penche sur le corps de Kurt perfusé et inconscient. Elle n'entend même plus cette femme hurler dans les urgences.

Un jeune préposé aux bénéficiaires s'approche. Mme Mayfield, prise dans son délire, ne le remarque pas.

— Si tu veux la mort de Kurt, tu l'étrangleras toi-même, de tes propres mains ! continue-t-elle, hurlant près de la civière.

— Madame, s'il vous plaît, intervient le préposé. Je vais devoir appeler la sécurité.

— Elle a voulu tuer mon fils ! crie-t-elle de plus belle en pointant son doigt vers Sophie. Vous ne comprenez donc pas ? Il n'y a que l'argent pour elle ! Elle a fait des enfants à mon fils pour mon argent !

— Vous n'avez pas honte de vous donner en spectacle dans un moment aussi grave ? demande calmement Nathalie, presque avec mépris. Vous pensez vraiment que c'est ce qui va aider votre fils ?

L'homme s'interpose. Nathalie prend Sophie par le bras et l'emmène, tremblante, dans la salle d'attente.

— J'ai été trop dure avec lui, Nathalie... Mon Dieu, je ne voulais pas... Les enfants ne méritent pas ça.

— Tu n'as rien fait, Sophie. Pour lui, le réveil a été plus dur, c'est tout... C'est sa mère qui devrait se sentir coupable.

- - - - -

À la résidence Langlois-Mayfield, les enfants du couple, assis calmement devant le téléviseur, ne sont apparemment au courant de rien. La gardienne, dès l'arrivée de Gaëlle, se prépare à sortir.

— Est-ce qu'ils ont déjà soupé ?

— Pas encore, fait la jeune fille en mettant son manteau, mais vous pouvez fouiller dans le frigidaire et les armoires, y a plein de trucs. Merci, je dois filer !

Gaëlle s'approche timidement des enfants, visiblement mal à l'aise. Charles, le bambin de la famille, lui prend tendrement la main.

— Salut, Charlie, tu vas bien ?

— Elle est où, ma maman ?

— Elle est partie faire une course, elle revient bientôt.

— Est-ce qu'on peut manger, s'il vous plaît ? demande poliment Élizabeth, la deuxième enfant du couple.

— OK… Tu veux manger quoi ?

— Des pâtes au pesto.

Gaëlle, piètre cuisinière, se met à la recherche de plats préparés.

— C'est n'importe quoi ! déclare-t-elle aux enfants. On se croirait au magasin Rachelle-Béry. Il n'y a que du bio, c'est vraiment dégueu.

Les petits, indifférents, continuent à suivre le dessin animé à la télévision.

Elle frappe dans les mains.

— OK, tout le monde, puisque matante Gaëlle ne sait pas pantoute cuisiner, vous avez deux choix : je commande une pizza ou j'vous emmène chez McDo.

— On n'a pas le droit de manger ça ! Papa et grand-maman disent que c'est très mauvais pour la santé.

La sentence de William, l'aîné de la famille, est sans appel.

Quand on a organisé des événements sélects à Bel-Air, géré des transports de bleuets du Lac-Saint-Jean à Abu-Dhabi et des bals costumés pour le Cirque du Soleil à Ibiza, on ne se laisse pas prendre au dépourvu : Gaëlle appelle Margareth.

- - - - -

Celle-ci débarque quelques minutes plus tard, les bras pleins de contenants Tupperware et de la neige sur les épaules. Gaëlle, qui vient d'endormir Charles en lui chantant *Like a Virgin* très lentement, lui fait signe de ne pas faire de bruit.

— Du spaghetti sauce tomate, oignons et saucisses. C'est typiquement haïtien, chuchote sa belle-mère sur la pointe des pieds en déposant les boîtes en plastique sur la table.

— Pas sûre qu'ils vont aimer ça… Qu'est-ce que tu crois que je dois faire avec… ça ? demande-t-elle en désignant l'enfant dans ses bras.

Margareth le prend sur elle et l'installe dans le berceau du salon en invitant les enfants à la cuisine.

— On mange dans la cuisine ? demande Élizabeth, qui n'a jamais fait ça de sa vie. C'est trop cool !

- - - - -

Gaëlle et Margareth, chacune assise à un bout de la table, regardent les enfants se jeter sur la nourriture haïtienne qu'ils adorent. Pendant qu'ils se racontent leurs histoires d'école, Gaëlle, d'une seule phrase, lance au-dessus des spaghettis :

— Maga... j'ai quelque chose à te dire... Je suis enceinte.

Sa belle-mère, abasourdie, ouvre si fort les yeux qu'Élizabeth prend peur.

— Gloire à toi, Jésus tout-puissant ! Hosanna au plus haut des cieux !

— Qu'est-ce que vous avez, madame ? demande William, la bouche pleine de sauce tomate.

— *Bondye tande priyè m!*[1] continue-t-elle en applaudissant, courant pour embrasser Gaëlle, puis chacun des enfants.

Dans le salon, le bébé se réveille en sursaut.

1 Signifie en créole : Dieu a exaucé ma prière.

— Tu as combien de mois, ma cocotte ?

— Deux, presque trois.

— Est-ce qu'elle est malade ? demande William, ne comprenant toujours rien.

— *Li se ansent, ti kras cheri mwen!*[2] explique Margareth à Élizabeth qui cherche à comprendre le sens de cette soirée bizarre où on mange dans la cuisine des spaghettis aux oignons avec deux inconnues qui ont l'air de crier l'une sur l'autre tout en s'embrassant dans une langue inconnue.

- - - - -

Hôpital Charles-Lemoyne.

— Rien de très grave, madame Langlois. Votre mari a ingéré une forte dose de clonazepam. Un anxiolytique pour traiter les crises d'angoisse qui ne présente aucun danger pour la vie.

— Mais où a-t-il trouvé ces médicaments, docteur ? Il n'y en a pas chez nous.

Le médecin la fixe dans les yeux, puis consulte le dossier posé sur le bureau.

---

2 Signifie en créole : elle est enceinte mon chéri.

— Votre mari consultait un de mes confrères depuis six mois… Il lui prescrit ces médicaments depuis le premier jour. Il ne vous en a jamais parlé ?

— Si je comprends bien, il ne voulait pas réellement mettre fin à ses jours ? remarque Sophie, sans répondre à la question.

Comprenant qu'elle ne veut pas entrer dans les détails de sa vie conjugale, le médecin referme le dossier et prend un ton professionnel.

— Une tentative de suicide est un cri d'alarme qu'il faut toujours prendre au sérieux. Nous allons le garder sous observation pendant quarante-huit heures.

— Très bien, conclut Sophie en s'apprêtant à partir. Vous me tiendrez au courant.

— Monsieur m'a informé qu'il préfère que je contacte sa mère au préalable…

— Bien sûr, docteur, dit Sophie en se levant. Je crois d'ailleurs que le service de sécurité vient de l'expulser de l'hôpital.

CHAPITRE 14

Jean-Robert est aux fourneaux lorsque Gaëlle arrive enfin chez elle. Tartare de saumon, risotto aux truffes blanches et tiramisu maison. Il a revêtu le tablier blanc qu'elle lui a offert à Noël (sur lequel elle a bien sûr fait broder sa touche personnelle : « ET APRÈS ON BAISE ») et dresse la table.

— Tu sais, plaisante-t-elle, avec toi je baise pour moins cher !

— Ah bon ? Ils paient combien, les autres ?

Elle l'embrasse pour le faire taire, et aussi parce qu'elle apprécie maintenant à leur juste valeur ces attentions qu'elle trouvait auparavant un peu fatigantes, lassantes même. La remarque de Nathalie sur sa vie idéale, qu'elle avait contestée de toutes ses forces, a travaillé malgré elle.

Jean-Robert se dirige vers l'évier pour déposer un saladier.

— Et comment ça s'est passé avec les enfants de la famille Von Trapp ?

— Pas si mal en fait, dit-elle en prenant de l'eau au frigo. Ta mère est venue me donner un sérieux coup de main et j'ai entamé mon apprentissage de mère en devenir. By the way, je lui ai annoncé la nouvelle.

— Super ! Elle est folle de joie, j'imagine ?

— À cette heure-ci, elle doit être arrivée à l'oratoire Saint-Joseph. Disons qu'elle est sur la 132e marche ?

Jean-Robert éclate de rire. Ils passent à table.

— Veux-tu voir mon ventre ? Il y a déjà une différence.

— T'es magnifique, ma chérie, la complimente-t-il en posant une main tendre sur son nombril. J'ai tellement hâte, si tu savais à quel point.

— Tu penses que ce sera une fille ou un garçon ?

— Tant qu'il te ressemble, c'est tout ce qui compte ! Et ce week-end, on passe un peu de temps ensemble, tous les trois... Il faut qu'on fasse connaissance.

- - - - -

À Sainte-Marguerite-du-Lac-Masson, Nathalie et l'infirmière en oncologie engagée par Vincent observent Ginette qui souffre le martyre.

Tout allait bien pourtant, jusqu'à samedi soir. Mais depuis quelques heures, allongée sur son lit, Ginette vomit sans discontinuer. Les deux femmes, impuissantes face à sa détresse, n'ont que leur affection à lui prodiguer.

— Je vais à la pharmacie t'acheter du Gravol pour diminuer tes nausées. Veux-tu autre chose ?

— Non, beauté, dit-elle faiblement, c'est gentil. Te fatigue pas pour moi, ça va aller.

L'infirmière adresse un signe de la tête à Nathalie, indiquant qu'elle souhaite lui parler loin des oreilles de Ginette. Nathalie l'invite des yeux au salon.

— Il faudrait qu'elle soit transférée rapidement aux soins palliatifs. Votre médecin pourra lui administrer de meilleurs traitements… Son état s'aggrave.

— Mais Ginette ne veut pas partir d'ici ! Vous l'avez entendue…

— Si j'étais vous, j'appellerais le docteur Alphonse pendant que je vais chercher de quoi soulager ses nausées à la pharmacie.

Nathalie, sans attendre, s'empare du téléphone.

— Docteur… je m'excuse de vous déranger…

— Madame Clément, est-ce que tout va bien ? répond la voix réconfortante du médecin qui a tout de suite saisi la détresse de Nathalie. Êtes-vous toujours au chevet de Mme Lamoureux ?

— C'est difficile, docteur, je suis complètement désespérée… Je sens que la fin approche.

Elle lui décrit l'état de Ginette, son refus de se faire hospitaliser et sa volonté de mourir entourée de ses proches, à la campagne.

— Je comprends. Écoutez, si vous voulez je peux aller la voir, je ne suis pas à l'hôpital en ce moment, je reste quelques jours à Sainte-Adèle dans mon chalet.

— Merci infiniment, docteur, cela me gêne de vous déranger… Je ne sais juste pas comment l'aider à finir ses jours… Je ne veux pas interrompre vos congés…

— Vous savez, madame Clément, je ne décroche jamais mon téléphone quand je suis au chalet, et là, quelque chose m'a dit de le faire… Je crois aux signes du destin. Alors, si c'est mon destin de vous être utile, je le ferai avec joie. Ne serait-ce que pour rendre à ceux qui m'ont aidé quand j'étais comme vous en détresse. Laissez-moi le temps de me procurer le nécessaire et je me mets en chemin. La morphine va beaucoup l'aider.

— Je ne sais pas comment vous remercier, docteur.

— En rassemblant vos forces pour aider Ginette, et en faisant la paix en vous. Elle a besoin de paix…

- - - - -

Saint-Lambert. Mme Mayfield, de retour de l'hôpital, fait les cent pas dans la grande bibliothèque de son manoir, en grande conversation avec Mme Silverstein.

— C'est elle qui a voulu le tuer !

— Elle a voulu le tuer ?

— Oui ! Il voulait mourir de chagrin pour cette garce ! C'est un être tellement sensible...

— C'est vrai qu'on peut mourir de chagrin...

— Et tout ça est arrivé suite à son rendez-vous chez Me Labonté.

— Ah oui, Me Labonté, l'avocat ? Que s'est-il passé ?

— Il a refusé de signer les papiers. Il a dit qu'il voulait faire une thérapie de couple avant de décider. Il a lu tout un volume sur les statistiques de réconciliation suite à la thérapie et a commencé à tout expliquer à Me Labonté. J'ai même dû l'interrompre. Cet avocat est hors de prix et je ne le paie pas pour écouter.

— Tu as bien fait ! Je ne le reconnais vraiment plus, ton Kurt. Se révolter contre ton avis après tout ce que tu as fait pour lui...

— Je n'aurais jamais dû le laisser prendre ces antidépresseurs, dit Mme Mayfield dans un soupir de regret. Quand je l'ai trouvé dans la maison, il délirait complètement : il appelait Sophie, criait qu'il ne recommencerait plus, qu'il la rendrait heureuse... Comme si elle a été malheureuse un instant avec mon fils ! Il me suppliait tellement de la voir que j'ai dû appeler cette garce pour qu'elle vienne à l'hôpital...

— Comment va-t-il maintenant ?

— Vivant mais... à moitié mort. Il est hors de danger... mais il n'est plus lui-même. Il ne veut pas parler. Il ne veut pas lire. Il ne veut rien faire. Il dit qu'il est un raté. Je cherche une femme pour lui redonner goût à la vie... Et de ton côté, tout va bien ?

— Oui, tout va bien. Je pars en Israël la semaine prochaine pour célébrer la bar-mitsva de mon petit-fils.

— Mazal tov ! s'écrie Mme Mayfield. Quand tu y es, essaie de recruter une conjointe potentielle pour Kurt. Tu connais les qualités que je recherche pour mon fils... Mais envoie-moi des photos avant, tout de même.

— Bonne idée.

— Avant que j'oublie, laisse-moi te raconter un potin : j'ai aperçu mon voisin avec sa maîtresse, sortant de chez Holt Renfrew.

— Le mari de madame Simoneau ?

— Elle doit avoir trente ans, maximum. Et lui est dans la fin soixantaine. J'ai entendu dire qu'il a eu une transplantation capillaire. C'est la secrétaire du docteur Rosenthal qui me l'a confirmé. Chut, je n'ai rien dit.

— Trente ans, mais c'est une enfant !

— Oui, c'est de la pédophilie... Je suis sûre qu'il doit prendre du Viagra.

— Du Viagra, quel pervers !

— Je l'ai vu au volant d'une rutilante Jaguar de l'année ! Chut, je n'ai rien dit.

— Une Jaguar de l'année ! Tu crois que sa femme le quitterait si elle savait ?

— Je voulais peut-être la mettre au courant de façon anonyme... Qu'en penses-tu ?

— Bien sûr, anonyme, c'est parfait !

— J'espère qu'elle le lavera, ce salaud ! Je te laisse, j'ai un bridge chez Rosemary.

— Tu ne retournes pas à l'hôpital voir ton fils ?

— Ah non, j'ai besoin de me changer les idées, toute cette histoire m'a complètement bouleversée !

— Tu as raison, va te changer les idées. Tu m'appelleras demain après avoir parlé à ta voisine.

- - - - -

Saint-Hubert. Vêtue d'une robe aux motifs fleuris, de son chapeau de paille et de ses bas aux genoux en nylon couleur chair, Margareth Nau est de retour de la messe. Fritz, son mari, s'affaire à installer sur la façade de la maison le drapeau bleu et rouge d'Haïti.

— Que c'est beau ! s'exclame-t-elle gaiement.

— Attends de voir ce que j'ai fait dans la cour ! répond fièrement Fritz.

Il prend la main de sa femme, lui demande de fermer les yeux et la conduit lentement vers l'arrière de la maison.

Il a fait recouvrir le terrain de sable et installer des palmiers artificiels. Un petit bar et des chaises longues complètent le décor.

— Ouvre les yeux, doudou.

Margareth écarquille les yeux.

— C'est magnifique ! Il ne manque que la mer et on se croirait à Port-au-Prince. Dommage que nous ne puissions pas faire pousser des mangues et des avocats, ce serait parfait ! As-tu des nouvelles de notre fils et sa femme ? On devrait les inviter pour admirer ça…

À ce moment, la BMW de Jean-Robert s'arrête devant l'entrée. Sa mère, qui suivait son mari, se retourne et saute de joie.

Jean-Robert sort de la voiture, ouvre la porte passager et aide Gaëlle à sortir à son tour.

— Bonjour, manmye, lui crie-t-il, nous étions dans le coin.

— Mon fils, je suis toujours contente de vous voir ! Regarde ce que ton père a inventé !

Margareth accourt en direction de Gaëlle.

— Allô, chouchou, tu veux manger quelque chose ?

— Non merci, c’est gentil, répond sa belle-fille, un peu énervée de devenir à chaque rencontre l’unique attraction de la famille Nau.

— Fritz, arrive tout de suite, viens voir le ventre de Gaëlle !

Il accourt et la complimente.

— Avez-vous de la crème glacée ? J’ai envie de sucré.

— Mais qu’est-ce que t’attends, Fritz, va vite au marché lui en acheter ! commande Margareth en le poussant dans le dos.

Pendant qu’il se rend avec son fils à l’épicerie, Margareth sirote un jus de goyave avec Gaëlle qui, en attendant sa crème glacée, déguste une assiette de griot et bananes plantains frits. Gaëlle fait tomber son couteau.

— Ne bouge surtout pas, doudou !

— Je suis enceinte, pas handicapée, je peux le ramasser voyons ! raille Gaëlle.

— Attends, laisse-moi voir… Dieu miséricorde, ce sera un garçon ! Merci, Seigneur.

— Quoi ? s’étonne Gaëlle en dévisageant sa belle-mère. De quoi tu parles ? Comment peux-tu connaître le sexe d’un enfant parce qu’un couteau tombe à terre ? Sérieusement, Maga, tu capotes !

— Fais-moi confiance. En Haïti, lorsqu'un couteau tombe et qu'il reste droit, cela signifie que l'enfant sera un garçon.

— Ben au Québec, pour connaître le sexe d'un enfant, on passe une échographie, on appelle ça la technologie. C'est beaucoup plus fiable qu'un couteau à steak !

Au retour des deux hommes, Maga se précipite à leur rencontre.

— C'est un garçon, c'est un garçon ! Nous l'appellerons Jean-Robert Junior ou Junior, tout simplement.

— Un couteau est tombé ou tu lui as fait le test du fil ? s'enquiert Fritz.

— Manmye, s'il te plaît, encore tes croyances haïtiennes. Et si c'est une fille ?

— Je te jure que ce sera un garçon ! Mais si c'est une fille, nous l'appellerons Jeanëlle : Jean pour Jean-Robert et ëlle pour Gaëlle.

— Quelle horreur ! Peux-tu t'imaginer à quel point les enfants vont rire d'elle avec un prénom pareil ? remarque Gaëlle, dégoûtée. C'est pas laid, c'est « laitte », comme on dit en bon québécois.

— C'est très joli et très original, je suis d'accord avec ma femme, confirme Fritz en l'entourant de ses bras toujours forts malgré ses soixante-quinze ans. Mon petit frère s'appelle Dieusibon, car ma mère pensait qu'elle ne pouvait plus avoir d'enfant. Alors, lorsqu'elle est tombée enceinte, elle a voulu rendre hommage à Dieu.

— J'pense que j'vais vomir, c'est dégueulasse ! Dieusibon... Franchement !

- - - - -

Sophie est entrée à l'hôpital Charles-Lemoyne par devoir, en se forçant, effrayée par la disparition de tout sentiment envers cet homme qu'elle a épousé.

Il a l'air lamentable sur ce lit entouré de fleurs comme s'il venait d'accoucher. Et pourtant, on le dirait presque fier de son exploit. Quand Sophie a ouvert la porte, il s'est affaissé soudainement pour augmenter la compassion de sa femme.

Mais elle n'est plus sa femme. Le divorce est déjà consommé, même si elle est seule à le savoir, et Kurt a retrouvé la place qu'il n'a jamais quittée, celle d'un enfant gâté. C'est peut-être la raison secrète de la présence de Sophie dans cette chambre rose : elle est venue pour se vérifier elle-même. Car si elle n'éprouve rien à cet instant, devant ce lit, pour le père de ses enfants, plus jamais elle n'aura de sentiment envers lui.

— Ma libellule adorée, merci d'être là... J'ai failli mourir tu sais, tente Kurt d'une voix qu'il veut faible.

— Tu vas mieux ? demande sèchement Sophie, ne voulant pas lui faire croire qu'elle tombe dans ses filets.

— Oui... je m'excuse, j'ai été con.

— Oui.

Il espérait autre chose, bien sûr. Qu'on le fête d'être revenu à la vie, avec champagne et petits fours, retour au bercail et surtout-ne-te-fatigue-pas-mon-amour-tu-m'as-fait-tellement-peur.

— Je crois sérieusement que t'as besoin d'aide. Tu devrais consulter un psychiatre quand tu sortiras.

— La seule aide dont j'ai besoin, c'est toi, dit-il, larmoyant.

— Je ne suis pas un psy.

— Non, mais tu es ma femme et j'ai besoin de ton soutien. Tu ne peux pas divorcer de moi et me laisser comme ça.

— Est-ce pour cela que tu as pris ces médicaments ? Pour retarder l'inévitable ? Pour me forcer à revenir ? Je veux divorcer, Kurt, j'ai pris ma décision. Alors toutes tes manipulations ne changeront absolument rien. Je le fais pour moi. Et j'espère que cela te permettra de te remettre en question.

— Mais j'ai compris, mon lapin. Je me suis remis en question. J'ai eu le temps de réfléchir, tu sais... Dans le coma, je crois que j'ai fait une expérience de mort imminente... J'ai compris que je ne suis rien sans toi...

— Pour faire une EMI, il faut d'abord être mort, Kurt. Tu t'es juste évanoui. Jamais ces cachets n'auraient pu te tuer, d'ailleurs, tu aurais aussi bien fait d'avaler mes contraceptifs et tu le sais très bien. Pour partir dans l'autre monde, il faut commencer par appartenir à celui-ci.

Il fait un geste indiquant qu'elle exige de lui beaucoup trop d'efforts intellectuels pour son état. C'est surtout de l'affection qu'il lui faut. Du réconfort. De la tendresse. Mais elle poursuit, voulant pulvériser le cocon façonné par sa mère qui l'asphyxie et empêche l'homme qu'il est de voir le jour :

— Tu n'appartiens qu'à ta mère, malheureusement. C'est elle qui t'étouffe.

Il s'affaisse de nouveau, cherchant dans les oreillers la douceur qu'elle lui refuse.

Tout cela ne sert à rien. Sophie désire conclure.

— D'ailleurs où est-elle, ta chère mère ?

— Mother a horreur des hôpitaux... Sophie, reprend-il en s'asseyant convenablement sur son lit, j'ai beaucoup réfléchi à ce que tu m'as dit sur elle. Je comprends ce que tu ressens. Mais je crois que tu es un peu aveuglée par ta propre histoire.

Il n'est plus du tout souffrant, tout à coup. Et il recommence à la blesser.

— Comme tu n'as pas eu d'amour de ta propre mère, je pense que tu t'es fermée à toute possibilité de t'ouvrir à celui d'une femme plus âgée. Parce qu'en quelque sorte, ça ravivait certaines douleurs de ton enfance.

Kurt voit sa femme au bord du fou rire.

— Mais de quoi tu parles ? Tu fais de la projection ! Contrairement à toi, tu sauras que j'ai eu le bonheur d'avoir une mère aimante, compréhensive, qui a toujours su respecter mes choix. C'est ton expérience de mort imminente qui t'a révélé ça ? Tu as rencontré Sigmund Freud, sans doute ? « L'amour d'une femme plus âgée » ! Mais où as-tu vu l'amour chez ta mère, mon pauvre Kurt ? Tu ne sais même pas ce que c'est ! As-tu même déjà touché quelqu'un avec amour ? As-tu déjà vibré ?

— Qu'entends-tu exactement par vibrer, mon moineau ?

Sophie s'arrête. Autant essayer de définir l'alpinisme à une sole meunière. Du reste, elle se sent encore novice, et craint d'éveiller les soupçons de Kurt sur sa relation avec Chantal.

— Je dois rentrer. Il faut que je m'occupe de mes enfants.

— Nos enfants, ma coccinelle.

— Quand il y a le verbe « s'occuper de » dans une phrase avec « enfants », il n'a jamais été question que des miens. J'essaierai de passer un de ces jours.

Kurt retombe dans sa mollesse, espérant un dernier regard avant qu'elle ne ferme la porte de sa chambre, puis s'enfouit dans son vaisseau de draps et plonge dans son monde de chimères.

- - - - -

Sainte-Marguerite-du-Lac-Masson. Malgré ses douleurs, Ginette ne se plaint pas. Quelques minutes après la dose de morphine que lui administre le docteur Alphonse, elle s'endort paisiblement.

— Laissons-la se reposer, elle en a besoin, dit-il doucement en invitant Nathalie à sortir de la pièce devenue sombre.

— Merci beaucoup, docteur, c'est vraiment très apprécié.

Elle lui offre un café et l'emmène sur la terrasse. La vue est verdoyante. L'univers, soudain, semble en paix. Elle s'approche de la balustrade et s'y appuie, empruntant un peu de joie au soleil. Le médecin, debout derrière cette femme si simple et sensuelle buvant à l'air bleu des Laurentides, fait un pas vers elle, puis se détourne. Il a au moins quinze ans de plus qu'elle. Il venait de l'oublier.

— Alors vous avez un chalet dans le coin ?

Elle a seulement tourné la tête vers lui

Il s'assied sur la grande table en bois, sans faire de manières.

— Oui, depuis de nombreuses années. J'essaie de venir dès que j'ai un peu de temps libre, ça me permet de décompresser.

— Je vous comprends. La nature, c'est irremplaçable. Je vis à Belœil, face au Richelieu. Le mont Saint-Hilaire, vous connaissez ?

— J'ai été élevé à Sainte-Julie, la ville voisine. J'en suis parti à l'âge de vingt ans pour poursuivre mes études à McGill. Mais ma mère y vit toujours. Alors, tous les jeudis, je passe à côté. Rien ne m'a jamais paru plus mystérieux que cette montagne déposée toute seule sur un sol si plat. Une célibataire endurcie ! remarque-t-il en riant.

Cette comparaison fait sourire la jeune femme qui vient s'asseoir à ses côtés.

— Vous, vivez-vous sur la Rive-Sud ? Oups... ! Je suis peut-être indiscrète !

— Pas du tout, lui assure le médecin en reculant pour lui faire de la place. J'habite à Saint-Lambert, ce n'est pas très loin de l'hôpital, donc c'est pratique.

— Ça doit être terrible d'annoncer à ses patients une fin prochaine... Est-ce qu'on s'habitue à la mort des autres ?

— Pour un médecin, la mort est toujours un échec, vous savez. Et mon étage est rempli d'échecs... La mort éclabousse tout le monde. La famille, les amis, les soignants... Mais mon métier me permet aussi de vivre des moments de vérité exceptionnelle avec bien des gens. Ce n'est que cela, en fait, qui m'a donné la force de continuer. Et vous ? Vous travaillez dans une école, je crois ? Vous enseignez dans quel domaine ?

— La biologie…

— Ah, mais nous sommes cousins alors !

— Oh, vous savez, moi, fait-elle en riant, ce qui m'intéressait vraiment, c'étaient les caribous ! J'ai abandonné mes recherches quand je suis tombée enceinte. Mon mari…

— Vous êtes encore mariée ?

Nathalie se sent rougir. Lui-même se sent honteux d'avoir posé cette question, sortie de nulle part.

Elle continue sur le ton de l'humour.

— J'ai eu un mari qui s'appelait Lamoureux, alors j'y ai cru, plaisante-t-elle.

— Et vous n'y croyez plus, conclut-il sans oser lui poser ouvertement la question.

— C'est un diagnostic, docteur ?

— Non, dit-il du tac au tac. C'est un médicament.

Ils éclatent de rire. Elle le regarde puis baisse les yeux et cherche un sujet de conversation pour combler le silence qui va les gêner tous les deux. Mais, bien sûr, elle ne trouve rien.

CHAPITRE 15

Café Asada. Gaëlle progresse péniblement vers la table de Sophie et Nathalie, portant sur ses épaules le poids de galaxies inconnues. C'est un drame qui approche, une tragédie en marche.

La Douleur en personne.

Quand, au bout de son chemin de croix, elle ôte enfin son manteau pour se libérer de cette insupportable oppression, elle exhibe sous un chandail blanc de mérinos son ventre légèrement bombé, adorable.

Elle s'écroule plus qu'elle ne s'assied, en soupirant, et en s'appuyant sur la table.

— J'plus capable… J'suis VRAIMENT plus capable !

— Ah ! Tout va bien alors, ironise Nathalie. J'ai cru que c'était grave !

— La prochaine bonne femme qui me dit qu'être enceinte, c'est la plus belle expérience de sa vie, je lui crache au visage ! Maudit que c'est tough ! Je suis à « boute » des nerfs !

— Pauvre toi ! compatit Nathalie. Ton calvaire est malheureusement loin d'être terminé, ma chérie. Il te reste quelques mois avant d'être délivrée... C'est pour ça qu'on dit « attendre un enfant »...

— Je veux un prématuré ! Même une crevette ! N'importe quoi, mais tout de suite !

— Franchement, Gaëlle...

— Sérieusement, c'est vraiment pénible ! J'ai mal aux seins, mal au cœur, mal à la tête... Il n'y a que ma libido qui se porte bien... Vous voulez voir ma bedaine ?

— Quelle bedaine ? Ça ne paraît même pas !

— Tu me niaises, j'ai pris sept livres ! Je bouffe comme un ogre et j'ai des envies super bizarres. Ce matin, j'ai mangé trois escalopes de veau badigeonnées au yogourt aux framboises. Anyways, j'ai préparé trois questions, les filles. Un, mon ventre va-t-il devenir un zèbre de vergetures, deux, mes seins des queues de castors et trois, mes cuisses des culottes de cheval ? Autrement dit, dois-je prévoir vingt-deux rendez-vous chez Rosenthal ou est-ce que je me suicide immédiatement après l'allaitement ?

— T'es vraiment trop superficielle, Gaëlle Simard ! répond Sophie en éclatant de rire. Tu devrais proposer une émission pour les femmes enceintes à TVA, comme ça Stephen Harper t'expulserait du pays à tout jamais !

— Et ton mari ? Toujours aux anges ? questionne Nathalie, amusée.

— Sur un petit nuage ! Avant l'enfant, j'étais sa reine ; avec l'enfant, je suis sa déesse. Il me comble d'attentions, rentre plus tôt, refuse que je fasse quoi que ce soit... bon, mis à part une petite fellation comme collation. Anyways, les matantes, quoi de neuf à part le tricot et le scrapbooking ?

Le visage de Nathalie se tend. Elle passe sa main dans sa longue chevelure, désemparée.

— Ginette faiblit de jour en jour... Elle n'a plus que la peau sur les os. C'est tellement triste... Pourtant elle reste sereine et ne se plaint jamais. Elle est tellement courageuse, cette femme !

— J'avoue que cela ne doit pas être évident pour toi, les garçons et Vincent...

— Je vis au jour le jour en dégustant tous mes instants avec elle, même les plus difficiles. Chaque moment compte. On parle de la vie, de ses regrets... Pour le reste, je ne sais pas... Comme dit le docteur Alphonse, la mort est le commencement de l'infini.

— Et les garçons ? s'interroge Sophie.

— Noah me demande tous les jours si elle va mourir. Nathan, lui, ne dit rien, pas un mot... Comme si ça lui faisait trop mal d'en parler. Heureusement, Vincent s'en occupe. Il leur parle beaucoup. Honnêtement, les filles, il est quasiment devenu un père exemplaire.

Elle laisse passer un léger silence, puis :

— Il voudrait une garde partagée.

— Tu as accepté ?

— J'espère qu'elle a accepté ! intervient Gaëlle. C'est pas une délivrance, c'est gagner le gros lot à la loterie !

Elle lève le bras pour appeler le serveur.

— Salut, Paul, j'ai une requête spéciale, tu sais que je suis enceinte. Pourrais-tu demander à la cuisine de me préparer des pâtes au homard nappées de confiture aux abricots ? Pis rajoute un soupçon de muscade, s'il te plaît, merci. Anyways, reprend-elle en regardant Nathalie, tu devrais accepter. Réalises-tu tout l'argent que tu vas pouvoir économiser ?

— Ce n'est pas qu'une question d'argent ! remarque Sophie. Nathalie a besoin de repos pour s'occuper d'elle.

— Elle a aussi besoin de copuler entre deux remplissages de lave-vaisselle et une brassée de lavage à l'eau froide au cycle permanent.

— Oui, j'en ai parlé avec le docteur Alphonse, lance Nathalie en rougissant. Il pense que le…

— Je rêve ou c'est la deuxième fois que tu mentionnes le nom du docteur Alphonse ? s'étonne Gaëlle. Tu vois, Sophie, je n'étais pas la seule à remarquer qu'il était craquant, ce George Clooney de Belœil. Allez Nath, avoue…

— Gaëlle, arrête ! dit Sophie.

— Ben quoi ?! Où est le problème ? À quoi ça sert qu'on se voie si on ne peut plus parler de nos histoires de cœur ?

— Ce n'est pas une histoire de cœur, c'est ton imagination délirante. Ce type a au moins quinze ans de plus que Nath !

— Céline et René, vingt-sept ans de différence. Nicolas Cage et Alice Kim, vingt et un ans, Bruce Willis et Emma Heming, trente et un ans, entonne Gaëlle, dont la culture en potins dépasse l'entendement.

— Arrête avec tes stars ! Nathalie n'est pas à Hollywood, Gaëlle ! Elle habite Belœil, je te rappelle...

— Et alors, qu'est-ce que ça change ? Un homme plein de cash, c'est un homme plein de cash...

— De quoi tu parles, Gaëlle ? Ce n'est pas l'argent qui m'attire chez lui !

— Bingo ! Tu vois, Sophie ? Je savais qu'il y avait quelque chose entre ces deux-là...

— Mais je m'en fous de son cash, Gaëlle ! C'est ça qui a détruit le couple de Sophie, c'est peut-être à cause de lui que tu es enceinte d'un inconnu, c'est lui qui bousille la planète... Il y a tellement de gens qui lui courent après qu'il se prend pour un dieu, une star, et c'est pour ça justement qu'il se permet n'importe quoi !

— OK, OK, j'ai compris ! Vive le Bixi et les bananes équitables… Anyways, à son âge, un oncologue, c'est plein de fric. Il a des enfants ?

— Voyons, Gaëlle, je viens de le rencontrer, on a échangé quelques fois, il ne m'a pas fait de demande en mariage ! Il ne sait même pas que je m'intéresse à lui.

— J'imagine qu'il doit TELLEMENT fantasmer sur toi ! Un impotent qui a la chance de baiser avec la Monica Bellucci québécoise, c'est le jackpot ! continue Gaëlle en tirant le bras imaginaire d'une machine à sous. Et toi Sophie, Kurt ?

— Si tu veux parler de mes sentiments, électrocardiogramme plat !

— Tu t'es remise de sa tentative de suicide alors ?

— Ce dont je ne me remets pas, c'est plutôt de m'être joué la comédie pendant tant d'années… C'est comme si… Comme si j'avais vécu des siècles à Disneyland avant de me rendre compte que tout était du toc… Le château, les personnages, les dialogues… Tout était faux ! Comment ai-je pu me manipuler moi-même à ce point ?

— Il fallait sans doute que tu vives tes trucs jusqu'au bout ! Maintenant, c'est fait, non ? Comment ça se passe, ta lune de miel avec ta douce ?

— De mieux en mieux. Elle est extraordinaire, douce, gentille, attentionnée, patiente, compréhensive.

— Et tu as encore perdu du poids ou ce sont tes nouveaux vêtements qui te donnent cette silhouette ? demande Nathalie. Toi en jeans, c'est une première. Ça te va super bien by the way…

— Chantal est tellement motivante, ça me fait un bien fou ! Et elle me décomplexe…

— Ça, c'est sûr ! renchérit Gaëlle. Ça doit être motivant de convertir une hétéro, c'est le fantasme de toutes les lesboches ! J'avoue quand même que c'est cool. Je n'ai jamais couché avec une femme. Ah oui peut-être… juste une fois, j'pense, j'étais soûle, ça ne compte pas.

Paul apporte l'assiette, l'air légèrement dégoûté.

— Peux-tu m'apporter un jus de litchi pas d'alcool avec un soupçon de muscade ?

- - - - -

Sur la Plaza Saint-Hubert, Margareth aide son époux à tasser dans la voiture ses multiples achats pour son futur petit-fils.

— Bon, ça suffit, Maga, dit Fritz en claquant le coffre sur des barboteuses en promotion, des cache-couches en solde et des pyjamas bradés de la collection de l'année dernière qui serviront bien un jour. Tu as acheté des vêtements jusqu'à l'âge de douze ans.

— Attends, Fritz, à Saint-Léonard, il y a un magasin italien qui vend des petits souliers en cuir verni. Ils sont en vente à 39,99 $.

— Mais tu ne connais même pas le sexe de l'enfant !

— C'est un garçon, je t'ai dit ! Le couteau est tombé et j'en ai rêvé cette nuit. En route, Fritz, et passe par chez Casse-croûte Port-au-Prince, je vais prendre des plats tout faits pour Gaëlle et Jean-Robert.

— Mais tu as passé toute la journée d'hier à leur préparer plein de choses !

— J'ai congelé la plupart des plats. Le reste, je l'ai donné à Alourdes pour sa fille Bebette qui va les remettre à sa voisine Magalie. Elle aussi est enceinte.

Avant de démarrer, mais déjà dépité, Fritz se tourne vers Margareth.

— Est-ce qu'on est vraiment obligés de nourrir toute la communauté haïtienne ? demande-t-il, connaissant par cœur la réponse de sa femme.

— Oui.

- - - - -

Saint-Lambert. En attendant son fils qui vient d'obtenir son congé, à la cafétéria de l'hôpital Charles-Lemoyne, Mme Mayfield aperçoit Mme Simoneau portant un plateau près de la caisse.

Elle fait semblant de s'inquiéter :

— Bonjour, madame Simoneau, vous n'êtes pas souffrante, j'espère ?

Celle-ci, l'air fuyant, cherche un mensonge.

— Non, je suis juste venue faire des prises de sang. Et vous ?

— Mon fils Kurt… well… souffrait d'une pneumonie, il a été placé en observation pour vingt-quatre heures, mais maintenant, tout va bien. Dites-moi, les prises de sang… rien de grave, j'espère ? Le cholestérol ? Le diabète ? La haute pression peut-être ? À votre âge, ce sont des choses à surveiller.

— Nous avons presque le même, ma chère.

Elle disparaît avec son plateau et sa purée-jambon. Mais on ne s'enfuit pas si vite.

— Attendez, madame Simoneau, comment va votre mari ?

Mme Simoneau s'arrête et se retourne vers sa voisine, intriguée par cette inhabituelle courtoisie.

— Il est en pleine forme. Comme votre fils.

— C'est vrai, je m'en souviens maintenant, la dernière fois que je l'ai vu, il était radieux. C'était chez Holt Renfrew, il avait les bras chargés de paquets, Chanel si je m'en souviens bien. Il était accompagné d'une très jolie jeune femme, sûrement sa secrétaire.

— Sa secrétaire ?

— Début trentaine, très élégante… un peu Kate Middleton, l'épouse divine du prince William.

— Mon mari n'a pas de secrétaire semblable, je ne vois pas de qui vous voulez parler. Excusez, mais la purée refroidit.

— Oh ! sweet Jesus ! s'écrie Mme Mayfield. Peut-être que...

— Que quoi ? demande le visage fermé de son interlocutrice au-dessus du plateau-repas.

— Vous savez, je déteste m'ingérer. Plutôt suggérer. C'est ma devise.

— Et qu'est-ce que vous voulez me suggérer avec votre devise ? demande Mme Simoneau en posant son plateau au hasard, comprenant que la purée est perdue.

— Ils semblaient très affectueux l'un envers l'autre quand j'y pense... C'est peut-être sa maîtresse... ? Vous n'avez pas de fille, n'est-ce pas ?

Outragée par tant de perfidie, Mme Simoneau fixe sa voisine en plissant les yeux. Les petites rides verticales autour de sa bouche s'étirent soudainement, puis elle claque sa main avec fracas sur la joue gauche de Mme Mayfield.

Le préposé à la caisse, saisi de stupeur, se tient bouche bée devant les deux vieilles dames, incapable de faire un geste.

— Vous n'êtes qu'une vipère, un rat, une menteuse ! Vous raclez les poubelles pour assouvir votre faim de ragots, de rumeurs nauséabondes et de qu'en-dira-t-on.

Depuis la mort de votre mari, l'ennui et la solitude vous ont transformée en une épouvantable vieille femme, détestée par tout le monde… Ah, ils n'osent pas vous le dire, bien sûr ! Ils espèrent toujours votre argent ! Mais que croyez-vous que disent les commerçants du quartier ? Les employés du Pharmaprix ?

Le caissier s'est rapproché des deux femmes et tend l'oreille.

— Ils n'ont pour vous que du mépris. Vous les faites rire, madame Mayfield ! Allez, ajoute-t-elle en tournant le dos pour reprendre sa purée froide, allez vous occuper de votre suicidé de fils. La pauvre Sophie a très bien fait de vous le rendre.

Mme Simoneau tend d'une main tremblante l'assiette de purée au préposé qui a déjà préparé une nouvelle portion. Il la regarde en acquiesçant de la tête. Il a déjà eu à faire avec la mégère qu'elle vient de remettre à sa place.

Celle-ci, sous le choc, reste figée comme la purée froide. Puis, voyant son adversaire s'éloigner tranquillement, en toute impunité, passer ensuite à côté des pointes de tarte aux bleuets et se servir un dessert comme si elle s'octroyait une récompense, elle sort prestement de la cafétéria et s'écrie, à peine passée la porte :

— Sécurité ! Sécurité ! Appelez la police ! Je viens d'être victime de voie de fait !

CHAPITRE 16

Vieux-Longueuil. Installée sur la terrasse du condominium de sa maîtresse, Sophie se laisse dorloter. On dirait qu'elle a changé d'époque, passant de l'âge glacial à celui du réchauffement climatique. Il a suffi d'une rencontre pour que sa vie bascule du nord au sud, laissant dans le septentrion de son existence la calotte glaciaire de Kurt pour glisser sur le ventre chaud de Chantal. Et dans ce dégel, elle découvre des couleurs qu'elle avait oubliées. La présence vibrante et légère au lieu de la lourdeur asphyxiante, l'attention aux petites choses, la discrétion. Le respect aussi. Chantal ne pose aucune question, n'exige rien et se consacre tout entière à sa convalescence, comprenant qu'elle doit faire le deuil d'un idéal avant de s'investir pleinement dans sa nouvelle vie et qu'il lui faudra peut-être beaucoup de temps pour accepter d'être aimée par une femme.

— J'adore tes pieds ! déclare Chantal en les massant. Ils te ressemblent : délicats, un peu timides. Parfois, ils se demandent ce qu'ils font sur cette Terre... Ta pédicure est superbe.

Sophie se redresse légèrement et les regarde en écartant les orteils.

— Tu trouves vraiment ? C'est la première fois qu'on me parle ainsi de mes pieds ! En tout cas, je suis contente qu'ils m'aient emmenée vers toi... Ils sont peut-être timides, mais ils adorent ce que tu es en train de leur faire, crois-moi !

— Mon ange, dit Chantal en serrant les chevilles de son amante entre ses mains, tu es belle partout ! Tout ton corps mérite ce que je lui fais. Tu m'excites tout le temps ! Ton odeur, ta façon de bouger, ton regard, ta peau... tout est parfait !

— Arrête, tu vas faire rougir mes orteils ! plaisante Sophie en riant.

— Pourquoi n'es-tu pas capable d'accepter des compliments ? Tout ce que je te dis, je le pense réellement. Je suis amoureuse de toi, Sophie Langlois... Il y a des lunes qu'une femme ne m'a pas fait autant d'effet. Et tu sais, des femmes, j'en côtoie ! Tous les jours, je vois des bimbos qui viennent s'entretenir, des fesses qui viennent durcir, des abdos et des quadriceps... Mais derrière ces derrières, il n'y a rien, généralement. C'est bizarre comme ce sont souvent les femmes les plus plates au niveau de l'encéphalogramme qui veulent le plus de courbes sur leur corps. Mais toi, tu es belle à l'intérieur et à l'extérieur.

Elle boit une gorgée de Pinot grigio dans le verre de Sophie posé par terre.

— Je pense à toi tout le temps, sans arrêt, tu sais. Tu restes encore un peu ?

— Je ne peux pas, fait Sophie en se redressant sur sa chaise.

Chantal lâche les pieds de la jeune femme et place ses mains sur ses cuisses musclées. Elle les masse amoureusement.

— Fais comme tu le peux, ma chérie, il n'y a aucune pression de ma part, sauf sur ce petit tendon un peu tendu !

Elle masse un point juste au-dessus du genou de Sophie, qui se relaxe aussitôt.

— Je comprends tes craintes, tes angoisses, tes peurs. Je suis prête à attendre le temps qu'il faut. La seule chose qui ferait mon bonheur, c'est le tien.

— Tu me donnes les larmes aux yeux... Tu es géniale, Chantal Bourassa ! Moi aussi, je t'aime. Tu as changé ma vie. J'étais un oiseau en cage depuis des années et j'ai l'impression que tu m'as libérée. Mais tu sais... la liberté, ça fait peur, parfois !

— Peur de quoi, mon amour ?

— Peur de l'avenir, de la réaction de mon entourage, de perdre la garde de mes enfants, de me retrouver seule comme une sans-abri, de ne pas avoir de ressources, peur que...

Elle regarde au loin et avoue, les yeux engloutis par la tristesse :

— … que tu ne veuilles pas m'attendre…

— Sophie de mon cœur, arrête d'avoir peur. « Ne regarde ni en avant ni en arrière, regarde en toi-même, sans peur ni regret. Nul ne descend en soi tant qu'il demeure esclave du passé ou de l'avenir. » C'est une citation de Cioran. Elle est sur le frigo.

— Tu as raison.

— Je t'offre mon cœur, Sophie.

— Et moi, le mien.

Chantal la prend tendrement dans ses bras.

- - - - - -

Atelier culinaire, Brossard. À l'insu de son entourage, Gaëlle, qui n'a aucun talent en cuisine, s'est inscrite à un cours. Elle a appris les bases, comme si elle débarquait de Mars : la différence entre un réfrigérateur et un congélateur, une écumoire et une passoire, entre rôtir et griller, bouffer et manger.

Une découverte incroyable.

Elle s'est lancée dans la fabrication de pâtes et, en quelques semaines, a pris goût à cette nouvelle activité qu'elle méprisait autrefois.

Elle termine un canard à l'orange, qu'elle se retient de napper de mayonnaise.

— Mmmm... mais c'est très bien tout ça, madame Simard ! diagnostique son instructeur, un Français coiffé de la toque de l'Académie culinaire (« Ça va vous plaire de savoir le faire »). Ajoutez une pointe de citron vert pour diminuer son amertume.

— Mais il est mort, non ? demande Gaëlle, honteuse de sa question, en s'éloignant avec inquiétude du canard.

— Je ne vous parlais pas de la bestiole ! éclate de rire le chef. L'amertume, en termes de cuisine, ne signifie pas la tristesse, mais simplement le goût amer...

Très consciencieusement, elle dépose quelques gouttes sur l'animal et referme le four.

— Vraiment, vous trouvez qu'il est bon ? demande-t-elle en s'adressant de nouveau au Français qui rit encore. Vous êtes sincère ?

— Mais oui, Gaëlle ! Il est plein de joie de vivre, votre canard du lac Brome ! Juteux, rosé, tendre... Vous apprenez rapidement, bravo !

— Mon mari sera tellement fier de moi ! Je n'ai jamais été capable de cuisiner...

— La cuisine, c'est comme l'amour. « Ça va vous plaire de le faire » ! Mais l'orgasme, madame Simard, dit-il avec son accent de Francis Cabrel, l'orgasme de la gastronomie, c'est le plaisir de l'autre !

— Ah, ce n'est pas du tout comme dans le sexe alors ! réplique spontanément la jeune femme.

Mais le Français, soudain en oraison, ne s'arrête plus :

— La cuisine, c'est l'amour en bouche sans l'organe. Les épices, c'est la lingerie, les sous-vêtements... Pas trop, mais pas trop peu, pour laisser place au goût de la chair, ne pas l'étouffer. La cuisson, c'est l'affection. Si vous chauffez trop, vous videz le jus. Si vous aimez trop, ça finit toujours par épuiser l'autre. Et la sauce, vous savez ce que c'est, la sauce ?

Mais Gaëlle, que ces comparaisons ont ramenée à Jean-Robert et qui n'a jamais aimé écouter quelqu'un plus de trois phrases d'affilée, l'interrompt, pensive :

— Est-ce que vous pourriez m'apprendre à faire du griot et des bananes plantains ?

Le chef coq redescend sur terre, dépité, comme s'il tombait du septième ciel dans une basse-cour.

— Madame Simard, je ne connais que la cuisine française... La meilleure du monde, tout de même...

— Alors là, vous me décevez, chef ! On vit sur l'île de Montréal, une ville multiculturelle, les gens ne mangent pas que de la poutine et la bouffe de cabane à sucre, faut savoir ouvrir ses horizons ! Anyways, faut que j'y aille. Après l'estomac, l'utérus ! J'ai rendez-vous chez mon gynéco. Bonne journée !

\- - - - -

Sainte-Marguerite-du-Lac-Masson. Installée dans son fauteuil roulant au bord du quai, Ginette contemple ses deux petits-fils et Nathalie, pêchant au loin en canot. Elle entend leurs rires ricochant sur le lac clair et leur fait un signe de la main quand elle les voit revenir en ramant jusqu'au rivage À quelques mètres de la plage, Noah et Nathan sautent à l'eau. Sa belle-fille attache rapidement le bateau et débarque. Sans poisson.

— L'important, c'est d'essayer, lance Ginette pour la consoler. Vous aviez l'air de vous amuser tous les trois ! C'est si paisible ici… Cet endroit me fait tellement de bien !

— Je suis contente de te voir sourire, ma Gigi d'amour. Tu sembles aller très bien aujourd'hui ?

— La nature me donne son énergie ! Tu sais que Vincent m'a proposé de venir passer quelques jours avec moi ? Ça te donnera un peu de vacances… Ça ne te gêne pas, j'espère ?

— Au contraire. Je suis ravie qu'il passe du temps avec toi. On dirait qu'il devient l'homme qu'il aurait dû être : un père et un fils aimant. Excuse-moi, le docteur Alphonse appelle…

Ginette sourit.

— Bonjour docteur, vous allez bien ?

— Je vais très bien... Comment se porte Mme Lamoureux ? Je voulais prendre de ses nouvelles.

— Justement, elle me disait qu'elle se sent très bien aujourd'hui. Ici, il fait un grand soleil, nous avons passé la journée près du lac.

— Oui, je profite aussi de ce soleil. Je viens d'arriver au chalet pour quelques jours. Il fait un temps idéal. Je me disais que je pourrais venir vous voir toutes les deux. Ça ne vous dérangerait pas ? Je pourrais lui faire un examen de routine.

— Passez quand vous voulez, docteur Alphonse. Je retourne chez moi en fin de journée, mais mon ex-conjoint sera ici.

— Vous partez pour longtemps ? demande le médecin, un peu contrarié.

— Je reviendrai demain, réplique-t-elle en souriant, heureuse de la déception qu'elle croit avoir décelée dans sa voix.

— Alors je passerai à votre retour. Saluez Mme Lamoureux de ma part et laissez-lui mon numéro de portable en cas de besoin.

Nathalie observe Ginette, soudain resplendissante.

— Quelqu'un a des étoiles dans les yeux...

— Ah ma Gigi, je ne peux rien te cacher, tu me connais tellement !

— C'est un bel homme, excellent médecin et d'une grande gentillesse. Il te rendra très heureuse.

— Ne va pas trop vite tout de même ! Je ne sais même pas s'il est intéressé ! Il a peut-être une copine.

— Il n'est pas intéressé, Nathalie. Il est fou amoureux de toi ! Tu es aveugle ou quoi ? Tu es la femme qu'il a toujours cherchée. Mais c'est à toi de faire le pas, parce qu'il n'osera jamais.

— Gigi, tu...

Mais le visage de Ginette devient soudain grave. Elle se tourne vers Nathalie, et sur un ton presque solennel :

— Écoute, ma beauté... Toute ma vie j'ai craint cette sorte de don que j'ai de percevoir les gens. Je me suis retenue par peur du ridicule, par pudeur... mais je n'ai plus le temps pour ça. Cet homme possède une bonté exceptionnelle et une sensibilité à fleur de peau. C'est à toi d'aller vers lui. Vas-y sans crainte, sans retenue. Tu as ma bénédiction... Dépêche-toi, je voudrais voir ça de mon vivant...

- - - - -

Clinique du docteur Lavallée, gynécologue. Gaëlle est évidemment en retard à son rendez-vous, entre bien sûr sans frapper à la porte et commence comme de coutume son monologue :

— Désolée, doc, mais j'suis plus capable, j'suis tellement plus capable !

Le médecin, assis à son bureau à rédiger le rapport de la patiente précédente, ne lève même pas les yeux.

— Que se passe-t-il, madame Simard ? demande-t-il en apposant calmement sa signature au bas la feuille. Vous êtes en train d'accoucher ?

Elle s'assied sur le bureau.

— Quand je baise, je ressens un inconfort au niveau de mes seins. À cause de mes implants, c'est ça ? Je m'en doutais, enchaîne-t-elle en interprétant le silence du gynécologue dans le sens de ses angoisses. J'avais demandé au docteur Rosenthal qu'il m'installe des implants en silicone, mais le con a préféré ceux au sel ! By the way, c'était peut-être pour m'envoyer une facture salée, elle aussi…

— C'est normal et il n'y a pas de quoi s'inquiéter, continue le médecin, de son ton rassurant de spécialiste que rien ne surprend. Vos seins se modifient pour se préparer à la lactation. Chez beaucoup de femmes, la poitrine réagit dès les premières semaines de la grossesse. Elle grossit et gagne en sensibilité.

— C'est pour ça, les queues de castors ! s'exclame Gaëlle. Je viens seulement de comprendre !

— Qu'est-ce que vous venez de comprendre à propos des castors ? interroge le praticien sans sourciller et en se levant. Montez sur la balance, s'il vous plaît.

Gaëlle s'exécute, vidant rapidement le contenu de ses poches pour ne pas offrir à cette machine impitoyable une seule occasion d'exagérer.

— Non, ce n'est rien, commente-t-elle à propos des castors, juste une joke plate de fille. Alors ?

— Vous n'avez pris que quinze livres jusqu'à présent, tout va bien.

— Ouf, tant mieux ! soupire Gaëlle en descendant de la balance. Et l'échographie, c'est pour quand ? J'ai tellement hâte de voir ma petite crevette pour la première fois !

— Dans deux semaines, dit le médecin en notant le poids de sa patiente.

— Génial ! Mon mari et ses parents veulent venir voir. Mes deux meilleures amies aussi, bien entendu. Peut-être que mon assistante sera également présente. Elle n'a pas encore d'enfants, ça l'intrigue, ce genre d'affaire.

— Ça fait beaucoup de spectateurs, madame Simard. C'est une échographie, pas une première...

— Comment ça, pas une première ? Ce n'est pas parce que c'est la dix millième pour vous que ce n'est pas la première pour moi ! Anyways, c'est une clinique privée ici, donc je paie et JE décide, merci. Bonne journée, doc, je dois aller magasiner pour le bébé, j'ai plein de choses à acheter. Ciao !

- - - - -

À Saint-Lambert, Mme Mayfield se trouve toujours en état de choc. La gifle de Mme Simoneau, les ragots dont elle se sait maintenant l'objet, la sécurité qui l'a expulsée de l'hôpital sans écouter ses récriminations, et enfin la tentative de suicide de son fils que cette garce n'aura pas manqué d'ébruiter, tout lui donne matière à ruminer.

Kurt, lui, de plus en plus éteint devant la télévision de plus en plus allumée, vit en pyjama chez sa mère, se rapprochant de l'état végétal.

— J'ai vu Me Labonté ce matin, Kurt. Il entame une procédure pour coups et blessures contre cette garce de Simoneau.

— Il a des nouvelles de Sophie ?

— De son avocat seulement. Un rottweiler, paraît-il. Ça ne me fait pas peur. J'ai exigé la garde complète des enfants avec visite de leur mère un week-end sur deux. On les enverra en pension. Tu sais ce que m'a dit Mme Silverstein ?

Kurt s'en moque éperdument et sort le flacon de Xanax de sa robe de chambre. L'évocation de cet avocat lui a causé une petite angoisse.

— Elle dit que c'est Sophie qui aurait alerté tout l'hôpital de ta tentative de suicide. Ça ne m'étonne pas du tout ! Qu'en penses-tu ?

Il n'en pense rien. Ça fait trois semaines qu'il ne pense plus. La dernière fois qu'il l'a fait, c'était pour trouver une solution rapide afin de mettre fin à ses jours.

— Ou alors qu'elle aurait croisé Mme Simoneau dans les couloirs et le lui aurait dit. Ça revient au même. Elle n'a qu'un but aujourd'hui. Salir notre réputation. Te traîner dans la boue, me nuire tant qu'elle peut… Rien n'est pire qu'une femme déçue. Comme disait ma défunte mère, « une femme blessée est une femme dangereuse ». Mais il ne lui restera rien ! Je viens de mettre la maison en vente. La tête qu'elle aura quand on sonnera pour la première visite ! Je voudrais bien voir ça… Kurt ? Tu m'entends ?

Il dort.

Il y a des traces d'urine entre ses jambes écartées.

- - - - -

— Tu dois prier et la glorifier toi aussi, Fritz.

— Qui ça ? demande celui-ci, placide.

Margareth a allumé des cierges qu'elle apporte dans le salon, près d'une statue de la Vierge Marie. Elle s'agenouille.

— Je suis persuadée que la responsable de ce miracle est la mère de Jésus-Christ. Viens t'agenouiller aussi !

— Ce n'est pas indiqué, doudou, mon arthrose…

Elle se lève d'un bond, furieuse.

— Est-ce que tu crois qu'elle a parlé de son arthrose lors du chemin de croix, Fritz Nau ? Et Bernadette Soubirous, est-ce que ses problèmes d'articulations l'ont empêchée de se prosterner devant Notre-Dame de Lourdes en 1858 ?

Il se lève péniblement et se positionne pour la prière aux côtés de Margareth, scandalisée. Il l'entend murmurer des psalmodies à ses côtés puis, après un bref moment de recueillement, elle annonce très rapidement :

— Mes sœurs arrivent de Port-au-Prince la semaine prochaine pour assister à l'échographie. Je leur ai offert le billet.

Fritz vient de comprendre pourquoi elle l'a attiré dans ses prières. Il se tourne vers elle, les mains toujours jointes.

— Tu ne trouves pas que tu exagères ? Nous pourrions faire autre chose avec cet argent. Tu as toujours trop gâté tes sœurs dans le passé. Je ne suis pas d'accord.

— Ne blasphème pas pendant la prière, Fritz ! s'exclame Margareth en lui faisant des yeux dramatiques. Tu interromps mon dialogue avec Dieu !

Elle enfouit son visage dans ses mains, comme pour faire pardonner l'attitude impie de son mari par l'ensemble des saints du paradis et recommence de plus belle ses litanies. Son mari se lève : elle peut rester ainsi toute la soirée pour éviter d'affronter les remontrances de son conjoint. En prévision de cette soirée, il se dirige en bougonnant vers le congélateur.

— Que se passe-t-il ? Tu as l'air fâchée.

C'est Jean-Robert qui, comme tous les soirs, passe prendre de leurs nouvelles.

— C'est ton père ! s'écrie Margareth, sortant de son extase spirituelle. Il n'a aucun respect pour tes tantes Nicole et Marie-Thérèse.

— Ce n'est pas vrai ! conteste Fritz. J'adore mes belles-sœurs... Tant et aussi longtemps qu'elles restent chez elles en Haïti.

— Tu vois, mon cœur ? Il n'a aucune considération pour elles et cela m'attriste et m'enrage.

Ses yeux sont encore rouges de la pression qu'elle a imposée à ses mains pour s'y cacher. Jean-Robert croit y déceler une tristesse sincère et l'entoure de ses bras.

— Ce qui m'enrage, Margareth, c'est que tu utilises l'argent de nos économies pour satisfaire leurs caprices, continue son mari.

— L'argent de nos économies ou celui de notre fils qu'il nous donne sans compter ?

— Ça suffit tous les deux... Si manmye veut faire plaisir à ses sœurs, je vais payer les billets de bon cœur.

Comme ça, vous ne touchez pas à vos économies et tout le monde est content…

Margareth enlace son fils et le couvre de baisers.

— Viens, je t'ai préparé à manger. J'ai aussi fait des plats pour Gaëlle. Toi, Fritz, dit-elle en lui lançant un regard hautain, je ne vais pas te servir aujourd'hui !

— Et pourquoi ça ? demande Jean-Robert, amusé.

— Il a blasphémé devant la Vierge Marie !

CHAPITRE 17

Café Asada.

— Ma décision est prise, les filles, je demande le divorce.

Ses cheveux lissés couleur feu accentués par sa teinture parfaite flamboient sous l'éclairage artificiel du café. Sophie est rayonnante, sûre d'elle. Elle replace ses mèches derrière ses oreilles comme pour mieux écarter les obstacles sur son nouveau chemin.

— Wow, t'es hot ! Je suis tellement fière de toi, finalement tu t'assumes, déclare Gaëlle, à moitié sincère. Tu vas devenir le porte-étendard des « gouines » dans le placard ! C'est tout à ton honneur, j'suis presque émue. Presque...

Sophie la foudroie du regard, prête à riposter. Mais Nathalie réagit la première.

— Franchement, Gaëlle ! J'te jure que parfois tu devrais apprendre à te taire, ton commentaire est totalement irrespectueux !

Sophie, agacée, secoue la tête en signe d'acquiescement. Elle ne craint plus de se défendre maintenant et se débarrasse peu à peu de cette personnalité de femme soumise qu'elle avait créée pour survivre dans son environnement. Elle s'apprête à contre-attaquer, mais Gaëlle, honteuse, lui prend la main.

— Je m'excuse, Sophie de mon cœur. Je voulais te faire rire, tu sais que je t'aime comme une sœur. Je ne voulais certainement pas te manquer de respect. À cause de la grossesse, j'ai les hormones dans le tapis, j'suis super impulsive et incapable de ne pas dire de niaiseries avec ma grande gueule ! J'aboie beaucoup, mais je ne mords pas... Désolée encore une fois.

Elle pose son regard sur son ventre arrondi, pour éviter les reproches qu'elle voit dans les yeux secs de Sophie, peu touchée par ses excuses.

Celle-ci se tourne vers Nathalie, cherchant une conversation plus sérieuse.

— J'aime Chantal. Elle me sécurise, me fait du bien et elle m'aime pour qui je suis... Elle est un soutien incroyable dans un moment pareil, elle, lance-t-elle en fusillant Gaëlle du regard.

— Tu en as parlé à Kurt ? Tu vas faire quoi, aller où ? Les enfants ? questionne Nathalie.

— Elle n'a rien à dire à ce crétin, bébé gâté ! intervient Gaëlle pour rattraper sa précédente intervention. Elle va retourner aux études, se trouver une maison à louer et s'occuper de sa tribu comme elle l'a toujours fait. Et vivre sa nouvelle vie de lesbienne. Point barre.

— Est-ce que je peux répondre, Miss Gaëlle ? On parle de ma vie, pas de la tienne.

Gaëlle regarde tour à tour ses amies, l'air ahuri, se demandant quelle connerie elle vient de dire.

Sophie poursuit.

— Kurt est inexistant et passe cette inexistence chez sa mère. Je n'ai aucune nouvelle. Il n'appelle même pas pour s'inquiéter des enfants. Mon avocat me dit que je dois prouver notre train de vie pour fixer le montant de la pension alimentaire, alors je suis dans les papiers jusqu'au cou.

— C'est pas à lui que tu dois demander une pension. C'est à sa môman chérie qui croit encore que son imbécile de fils est toujours coincé dans son utérus. Une bonne petite requête en plein abdomen, ça devrait le faire sortir d'un coup !

— Tu sais que tu as le droit de rester dans la maison puisque c'est la résidence familiale ? ajoute Nathalie, laissant Gaëlle à ses exagérations.

— Je sais, Nath, mais je ne veux pas. Légalement, elle appartient à Mme Mayfield et je ne souhaite pas lui devoir quoi que ce soit. Et puis j'ai toujours détesté cette baraque depuis le jour un. D'ailleurs, cette sorcière l'a mise en vente, j'ai reçu la visite d'un agent immobilier qui m'a placée devant le fait accompli. Je ne veux plus avoir aucun lien avec tout ça !

— T'as raison, qu'elle aille chier, cette maudite vieille chienne ! renchérit fièrement Gaëlle.

Le cellulaire de Nathalie sonne, c'est le docteur Alphonse.

Nathalie rougit.

— C'est Joseph...

— Joseph, c'est qui ça ? s'étonnent Sophie et Gaëlle.

— Le docteur Alphonse... Je vais le rappeler plus tard. On a si peu de temps, toutes les trois...

— Non, non, prends l'appel, Nathalie, je t'en prie, insiste Sophie qui a compris qu'elle en meurt d'envie.

— Bon ben, OK..., dit-elle, tout sourire, je... je reviens dans quelques minutes !

Nathalie s'éloigne de la table.

— Oh my God, ils baisent ensemble ! Yes, j'le savais, petite cachotière.

— Voyons, Gaëlle, tu caricatures toujours tout ! D'abord, peut-être qu'ils s'aiment tout simplement, non ? Ça arrive parfois. Tu ne vois que le sexe, toujours le sexe ! C'est tannant à la fin !

— Anyways, il doit avoir les couilles molles et le corps fripé. Bref, ma belle, revenons à toi. Tu as raison, il n'y a pas que le sexe, il y a aussi le fric. Tu sais que je suis là pour toi, Sophie. Je vais te donner un coup de main, te trouver une maison convenable et t'aider financièrement avec plaisir.

— Ça va aller, Gaëlle, je te remercie, réplique Sophie, encore énervée, en se recoiffant.

— Laisse faire ton orgueil mal placé, je veux et vais t'aider. Nous sommes toutes les trois des sœurs cosmiques, c'est toi-même qui l'as dit. On doit se soutenir dans toutes les circonstances. Tu aurais fait la même chose pour moi si j'étais à ta place. Anyways, même si tu refuses, je vais le faire. Je t'aime, Sophie. Le reste, on s'en fout !

— Merci Gaëlle, moi aussi, je t'aime même si parfois j'ai le goût de t'étrangler ! dit-elle en riant.

— Parfois, j'ai le goût de m'étrangler moi-même ! Donc j'te comprends.

Nathalie revient à la table.

— As-tu quelque chose à nous dire ? la taquine Sophie.

— Avoue-le qu'il te chevauche, j'le savais !

— Bien sûr que non, Gaëlle, nous sommes aux balbutiements d'une possible relation.

— Je suis tellement contente pour toi, enfin ! dit Sophie en ouvrant les bras pour l'embrasser. Tu le mérites !

— Il est tellement adorable! avoue Nathalie, en serrant contre son amie son corps souple.

— OK, on s'en fout, j'veux des détails: est-ce qu'il est encore capable de bander? Est-ce qu'il prend du Viagra? À son âge, c'est sûrement un éjaculateur précoce en plus!

— Gaëlle, je n'ai jamais couché avec lui, je te jure!

— J'te comprends, ça doit pas être évident! Anyways, la gérontophilie, c'est pas mon truc...

— Voyons, Gaëlle, il a cinquante-cinq ans, pas quatre-vingts! la reprend Nathalie en riant. Il est mûr, pas vieux. Moi, les petits trentenaires qui doivent encore faire leurs expériences, j'ai été servie, merci.

— Elle a raison. Comme les femmes sont généralement plus matures, il leur faut un homme plus âgé pour compenser.

— OK t'as raison, sainte Marguerite Bourgeoys. Est-ce qu'on peut parler de moi, s'il vous plaît? J'ai plein de choses à vous raconter.

— Oui, reine Gaëlle, on t'écoute.

— Lundi, je vais connaître le sexe de ma peanut, j'me peux plus! J'suis tellement excitée que c'est quasiment orgasmique.

— Wow, j'ai hâte de savoir moi aussi!

— Voulez-vous venir à l'échographie ? Les parents de Jean-Robert seront là, deux de ses tantes d'Haïti qui arrivent demain, Brigitte mon assistante et...

— Gaëlle, Seigneur, t'exagères ! remarque Nathalie. Une échographie est un moment intime. Que Jean-Robert y assiste, c'est normal, c'est son enfant... oups ! Désolée, c'est comme son enfant, je voulais dire.

C'est au tour de Gaëlle de se vexer.

— Pardon ? s'écrie-t-elle. C'est SON enfant. Puisqu'il ne sait pas la vérité et ne la saura jamais, c'est du pareil au même.

— Mais ce n'est pas la vérité ! Comment feras-tu pour vivre avec ça sur ta conscience le restant de ta vie ? C'est carrément de la fraude ! C'est épouvantable ! Ton mari ne mérite pas ça, s'indigne Sophie.

— On se calme, madame chose ! rétorque Gaëlle en l'arrêtant d'un mouvement de la main, comme si elle réglait la circulation. Toi qui es si croyante, « que celui qui n'a jamais péché me lance la première pierre » !

— Pour une fois, je trouve que Gaëlle a raison, poursuit Nathalie. Pourquoi lui avouer ? Pour lui faire du mal ? Pour qu'il la laisse seule avec un enfant ?

— Merci Nath. Toi, tu me comprends. J'aime mon mari... Oui, je l'ai trompé, mais j'étais sous l'effet de l'alcool. Bon... pas tout à fait, mais c'est la justification plausible que je me donne.

— C'est un mensonge épouvantable ! se révolte Sophie, enflammée. Et cet enfant, alors, il ne connaîtra jamais son père ? Et tu dis que tu l'aimes ?

— Comment peux-tu te permettre de me juger alors que toi aussi, tu trompes ton mari, que tu joues maintenant pour l'autre équipe et que t'as passé presque toute ta vie à faire semblant ? C'est quoi, ton excuse, sainte Sophie de Saint-Lambert ? lui lance Gaëlle, furieuse.

Nathalie frappe du poing sur la table et se lève d'un bond, ignorant les regards des clients du restaurant qui se posent immédiatement sur elle. Elle s'exprime très calmement, presque avec solennité :

— On avait quinze ans. On s'est réunies toutes les trois dans la cour de la polyvalente et on s'est promis. Jamais, au grand jamais, l'une d'entre nous ne nous jugera. Peu importe ce qui nous arrive, on va s'aimer, s'épauler… À la vie à la mort.

Elle se rassied dans le silence un peu honteux de ses amies.

— Vous avez oublié, les filles ?

— T'as raison, je m'excuse sincèrement, Gaëlle. Je suis ridicule avec mes principes… J'ai l'impression de parler comme mon ex-belle-mère. Je déteste les principes en fait. J'en avais besoin pour tenir avec Kurt, mais c'est terminé… Je les laisse tomber. Excuse-moi…

— Je m'excuse aussi, Sophie. Tu es à fleur de peau et je me sens nulle de te rentrer dedans au lieu de t'aider. Merci, Nath, de nous remettre dans le droit chemin! Maintenant, célébrons notre amitié, un litchi martini pour tout le monde!

— Tu bois encore de l'alcool? s'étonne Nathalie. C'est mauvais pour le bébé.

— Il bouge sans arrêt depuis ce matin, un peu d'alcool pour le sonner devrait le calmer.

- - - - -

Aéroport international Pierre-Elliott-Trudeau. Margareth, accompagnée de son mari et de Jean-Robert, attend impatiemment l'arrivée de ses deux sœurs. Dès qu'elles sortent des douanes, Margareth, qui sautillait déjà sur place, bondit vers elles.

Marie-Thérèse, la plus jeune, s'est déjà organisée pour avoir le moins à porter. Sa corpulence graisseuse lui sert toujours d'excuse à sa paresse, comme son intelligence ne travaille que pour profiter de ses semblables. Elle observe déjà de loin Margareth avec un faux sourire, essayant d'évaluer sa santé financière à ses vêtements, et laisse passer Nicole, la plus âgée, aussi sèche qu'elle est molle, qui se presse d'un pas nerveux.

— Nicole chérie, que se passe-t-il, tu n'as pas fait bon voyage? s'inquiète Maga en constatant la mine dépitée de sa sœur.

— Les Blancs de la douane m'ont confisqué les cadeaux que j'avais apportés ! Et toute ma collection de CD de la Compagnie créole que j'avais apportée avec moi !

— C'est du racisme ! dénonce Marie-Thérèse. Ils volent les Noirs dans votre pays !

— Ce n'est pas du racisme, tante Mama, ce sont les règles, corrige Jean-Robert. As-tu déclaré ce que tu as apporté ?

— Oui, et c'est justement pour ça qu'on m'a fouillée ! s'écrie Nicole.

— Si elle n'avait rien dit, on n'aurait eu aucun problème, se plaint Marie-Thérèse. Je l'avais suppliée de mentir mais elle n'a pas voulu m'écouter, comme d'habitude.

— J'avais des mangues, des avocats, de l'essence de vanille et du café frais. Je sais très bien qu'il n'y a pas tout ça ici. Je voulais faire plaisir à Maga.

Jean-Robert et ses parents les entraînent vers la sortie en poussant leur chariot chargé de valises.

— Tu sais, il y a plusieurs marchés d'alimentation haïtiens à Montréal, tante Nicole. Tu trouves de tout, même du pikliz.

— Et pour la Compagnie créole ? continue sa sœur. Tu crois qu'on va pouvoir racheter les disques ?

— Ne t'inquiète pas, renchérit Margareth, je vous ai préparé un repas de roi ! Ensuite, nous irons chez Jean-Robert pour vous présenter sa femme.

— Comment s'appelle-t-elle encore ? demande insidieusement Marie-Thérèse.

— Gaëlle Simard, répond Jean-Robert, en poussant le tourniquet de la sortie.

— Simard, ce n'est pas un nom haïtien, ça ? Elle a des origines françaises ?

— Non, c'est une Québécoise de souche. Une Blanche, dit calmement Jean-Robert.

— Une Blanche ? Et pourquoi n'as-tu pas épousé une belle Haïtienne ? s'exclame pernicieusement sa tante, comme si elle n'était pas au courant.

Sa voix résonne dans le stationnement souterrain de l'aéroport.

— Elle comprend un peu le créole et mange des bananes plantains, intervient Fritz, pour défendre sa belle-fille qu'il apprécie davantage que ces harpies auxquelles il n'a pas encore adressé la parole.

Jean-Robert ouvre le coffre et s'empare des valises.

— Parce qu'on ne décide pas de la personne avec laquelle on tombe amoureux. Parce qu'elle est une femme que j'adore et qui me rend heureux.

— Mais as-tu pensé à ta descendance ? continue Marie-Thérèse. À la longue, ils ne seront plus noirs du tout. Tu dois sûrement souffrir du syndrome du colonisé. Voilà ce qui arrive lorsqu'on quitte sa terre natale, Maga !

— Attends de la rencontrer, tu verras, elle est charmante, dit Margareth. Tu dois la respecter, elle porte l'enfant de ton neveu, d'abord et avant tout.

— Est-ce que vous avez choisi le prénom ? demande Nicole, pendant que sa grosse sœur s'installe précipitamment à l'avant de la voiture pour avoir plus de place pour ses jambes.

— Pas encore, tante Nicole. Nous attendons de voir l'échographie.

— J'ai des suggestions : Dieusigrand si c'est un garçon et Altagrâce si c'est une fille.

— Merci, tante Nicole, nous allons y réfléchir ! ironise Jean-Robert en démarrant.

- - - - -

Saint-Lambert. En rentrant chez elle, Mme Mayfield aperçoit son fils, à peine vêtu, pleurant à chaudes larmes, un verre de scotch à la main.

— My lord, qu'est-ce que tu as, mon bébé ?

— Elle veut vraiment me quitter… J'ai reçu la procédure de divorce par huissier ce matin.

— Et alors ? C'est une excellente nouvelle ! Pourquoi pleures-tu comme un enfant abandonné par sa mère dans un centre commercial ? Je suis là, c'est l'essentiel ! Allez, habille-toi, nous allons prendre l'air. Il y a une nouvelle galerie d'art qui vient d'ouvrir à Westmount, je veux aller voir.

— Mother, veux-tu arrêter, s'il te plaît ! Quand vas-tu comprendre que je ne veux pas perdre ma femme et que je l'aime ?

— My God, Kurt Mayfield ! Comment oses-tu lever le ton sur moi ! Je suis ta mère, tu me dois honneur et respect ! Après tout ce que j'ai fait pour toi ! J'exige que tu me suives !

— Tu exiges ? Mais j'ai quarante ans, je ne suis plus un enfant !

Elle a déjà ruminé sa réponse, prévoyant ce moment de révolte.

— Reprends un tranquillisant, Kurt. Tu m'as l'air très énervé. Ton père est mort d'un arrêt cardiaque.

Il sort son flacon de Xanax de la poche de sa robe de chambre tachée.

— Ta place est ici, à mes côtés.

Elle s'assied sur le sofa. C'est l'heure de *Pour le plaisir*, avec France Castel.

- - - - -

Sainte-Marguerite-du-Lac-Masson. Depuis ces derniers jours, l'état de Ginette s'est terriblement aggravé. Elle n'arrive plus à déglutir sans d'atroces grimaces. Nathalie observe le docteur Alphonse qui lui administre une autre dose de morphine.

— Vous allez pouvoir dormir, madame Lamoureux, la morphine va vous soulager.

— Je ne veux pas dormir, docteur, chuchote Ginette. J'ai peur de fermer les yeux.

— Gigi d'amour, ne dis pas ça, s'il te plaît ! Tu es une femme forte, courageuse.

— Je suis fatiguée, je n'en peux plus, je souffre trop, continue-t-elle dans la douleur.

— Ne baisse pas les bras, Gigi. Ne m'abandonne pas, s'il te plaît ! Je ne suis pas prête à te voir partir.

Nathalie éclate en sanglots. Le médecin la prend contre lui.

— Pleure autant que tu voudras, exprime ta peine, crie-la si tu en as envie. Mais, s'il te plaît, essaie, même si c'est difficile, de ne pas le faire en sa présence. L'autre jour, elle m'en a parlé et m'a dit à quel point elle se culpabilise de t'abandonner.

— Et que lui as-tu répondu ? demande Nathalie, les yeux ruisselants de chagrin.

— Que je veillerai sur toi et qu'elle pourra partir tranquille.

CHAPITRE 18

— S'il te plaît... S'il te plaît, ma perruche...

Dans la cuisine de leur ancienne demeure, Sophie observe cet homme lamentable, les cheveux sales, la peau terne, repoussant de mollesse et de laisser-aller. Qu'a-t-elle pu lui trouver pour en faire le père de ses enfants ? Qu'avait-il de séduisant à l'époque ?

— Je ne veux pas qu'on divorce !

Elle ne trouve pas. Le corps était sans doute moins avachi, mais son mental était pareil. Borné, satisfait. Arrogant.

Elle n'a accepté cette ultime rencontre que sur le conseil de son avocat, pour tenter d'éviter des procédures très longues et très coûteuses. Mais cet homme qui lui crie son amour en agitant la tête comme un cas psychiatrique ne la laissera jamais partir, elle vient de le comprendre. Ces semaines d'éloignement chez sa mère n'ont fait qu'empirer son état, et peuvent très peu de choses contre les brefs instants de lucidité que suscite sa psychothérapie.

— Rester mariés n'est plus une option, Kurt, commence-t-elle sur un ton neutre. Je ne t'aime plus et je suis malheureuse dans notre couple. Extrêmement malheureuse depuis des années.

— Comment peux-tu prétendre être malheureuse lorsque tu as tout ce que tu désires ? Un mari rentier, quatre beaux enfants, une belle maison, un…

— Un mari rentier parce qu'il n'a jamais voulu travailler de sa vie, Kurt. On ne travaille pas seulement pour l'argent, mais pour se réaliser. Mais toi, parce que tu es né avec une cuiller d'argent dans la bouche, tu n'as jamais fait un effort pour t'accomplir. Ce n'est pas un exemple pour les enfants…

Mais elle regrette cette dernière phrase. Si Kurt se sent agressé, il se cabrera, tout mou qu'il soit. Elle s'était promis de rester la plus inoffensive possible.

— Pourtant, on dirait que ça ne t'a pas gênée quand on vivait ensemble, tout cet argent ?

Voilà, il réplique. C'est de sa faute à elle.

Elle le laisse faire. Éviter de l'interrompre fait aussi partie de la stratégie.

— Parfois, continue-t-il, je me demande si tu ne fais pas une grave dépression, Sophie. Je ne te reconnais plus ! C'est toi qui devrais consulter un psychiatre.

Il a raison, elle a vraiment changé. Lui, au contraire, est resté fidèle à lui-même. Emmuré dans ses certitudes, ses phrases toutes faites et ses noms d'animaux.

Il semble n'avoir plus rien à ajouter.

Elle s'assied à la table, en face de lui, serrant les poings pour se maîtriser.

— Kurt, réglons cette histoire une bonne fois pour toutes, veux-tu ?

— Comment peux-tu rester aussi indifférente à ma souffrance, mon pinson ? Comment peux-tu te montrer si froide envers moi et me traiter comme si j'étais un parfait étranger, après toutes ces années ? Oh, mon Dieu, quel désastre !

Elle doit lui montrer qu'elle sait ce qu'il ressent, ne pas laisser voir qu'elle s'en moque complètement, que cette séparation ne lui causera jamais la douleur que leur vie commune lui a fait subir, toutes ces années gâchées au nom de principes, de catéchisme.

— Pour moi non plus ce n'est pas facile, choisit-elle de dire. Alors ne rendons pas plus difficiles ces moments douloureux...

Elle prend la grande enveloppe brune qu'elle a déposée sur la table et l'ouvre.

— Kurt, quand signeras-tu les papiers ? Le plus tôt sera le mieux... Pour clarifier la situation avec les enfants.

— Chaton, dit-il en relevant la tête, comprenant que ses drames ne parviendront pas à l'attendrir, tu n'es pas sérieuse ?

— Kurt, ça suffit, répond-elle excédée, pulvérisant ses résolutions. Je m'appelle Sophie Langlois, tu m'entends ? Sophie Lan-glois !

Il se lève brusquement et frappe du poing sur la chaise avec cet air d'enfant capricieux qu'elle a toujours détesté.

— Ton nom est Sophie Mayfield et restera Sophie Mayfield !

Il passe sa main tremblante dans ses cheveux et arpente la pièce en regardant par terre.

— Je ne signerai rien, c'est non ! Je préserverai mon foyer, notre mariage, notre réputation… Notre nom !

— Ça ne changera rien, Kurt, reprend Sophie en parlant plus fort que lui. Que tu t'opposes ou non au divorce, il est automatique après un an de séparation de corps.

— Et nos enfants, tu veux me séparer d'eux ? Tu veux qu'ils fassent partie des statistiques ? Tu vas les traumatiser avec ton divorce… Ils finiront allongés sur le divan d'un psychanalyste…

Sophie secoue la tête, un sourire aux lèvres : elle avait prévu cette réponse, quasiment mot pour mot. Quand il ne sait plus quoi dire, il se réfugie dans la morale.

Elle redevient plus douce, essayant de ramener le dialogue.

— Ne sois pas si dramatique. Dans la convention de notre divorce, je te propose la garde partagée dans leur intérêt.

— Mais comment veux-tu que je fasse avec eux ?

Sophie, interprétant cette question comme un commencement d'acceptation, s'y engouffre. Elle s'adresse à lui presque gentiment.

— Justement, Kurt, ça te rapprochera d'eux. Ce sont les moments simples qui créent les liens. Les choses de tous les jours. Ça n'a rien d'impossible, tu verras.

— Mais toi... tu vas vivre où ? reprend-il, de nouveau saisi par l'angoisse.

— J'ai déjà trouvé. Le bail est signé.

— Mais... où ? continue-t-il.

— À Longueuil, à dix minutes d'ici, répond-elle pour le rassurer. C'est une maison, pas aussi vaste que celle-ci, mais il y a tout ce qu'il faut.

— Avec l'argent de ma mère ?

— Kurt, il me reste encore un peu d'orgueil !

— Tu vas demander l'aide sociale ?

— J'ai de bonnes amies qui vont m'aider.

— Gaëlle, je suppose ? Mother m'a toujours dit qu'elle serait un jour la cause de notre séparation. Cette fille a détruit notre couple.

— Cette fille, comme tu dis, a toujours été à mes côtés depuis l'âge de quinze ans. C'est beaucoup plus qu'une amie, Gaëlle et Nathalie sont des sœurs pour moi.

— Tu n'as jamais eu de métier… Comment vas-tu t'en sortir ?

Sophie prend une très longue respiration. Si elle explose maintenant, cet édifice fragile, qu'elle essaie de construire depuis le début de leur conversation, va s'effondrer. Il n'y a peut-être qu'une chance sur mille pour un arrangement à l'amiable, mais c'est aujourd'hui qu'elle passera et qu'il faut essayer de l'attraper.

— Je sais que ça sera dur pour nous tous, Kurt. Mais j'ai pris ma décision. Tu m'aides ou tu nous enfonces. C'est ton choix.

Il baisse la tête vers le carrelage de la cuisine.

— As-tu rencontré un autre homme ? finit-il par demander, après un long silence.

Elle le regarde droit dans les yeux. Elle sait que Kurt la croit incapable de mentir. Elle en profite :

— Sur la tête de nos enfants, Kurt, je te jure que je ne couche avec aucun homme et que je ne le ferai pas avant longtemps.

— Tu me le jures ?

Il s'est assis, soudainement calmé, presque détendu. Ce n'est pas l'amour de Sophie qu'il regrettait. C'est sa propriété.

— Je te l'ai dit, Kurt. Il n'y a aucun homme dans ma vie. Tu es d'accord avec la proposition alors ?

— Je... je vais y penser, concède-t-il en regardant Sophie, dont le visage devient soudain livide.

Elle vient de décrocher le téléphone.

— Oh Seigneur ! s'exclame-t-elle. J'arrive tout de suite, texte-moi l'adresse, je vais trouver avec le GPS.

— Que se passe-t-il ?

— C'est Nathalie, je dois partir dans le Nord tout de suite. Je te rappelle, conclut-elle en s'enfuyant dans le corridor.

- - - - -

Brossard. Gaëlle, en soutien-gorge et culotte de dentelle, s'admire dans le grand miroir de sa chambre, caressant tendrement son petit ventre.

Jean-Robert, allongé sur le lit, la contemple longuement.

— T'es tellement belle, mon amour...

— Merci... Je dois t'avouer que, moi aussi, j'apprécie de plus en plus mes rondeurs, tu sais. J'ai toujours eu une peur immonde de déformer mon corps et voilà qu'aujourd'hui, je ne me suis jamais sentie aussi resplendissante.

— Et notre fille sera aussi magnifique que sa mère.

— Je l'imagine déjà, Jean-Robert, le teint café au lait, les cheveux noirs bouclés, mes yeux bleus, tes lèvres pulpeuses, tes…

Gaëlle s'interrompt, les larmes aux yeux. Son mensonge est moins commode qu'elle ne l'espérait.

L'enfant va finir par se retourner dans son ventre.

— Mon amour, dit Jean-Robert en se levant pour la prendre dans ses bras. Qu'est-ce qu'il y a ? Tu aurais préféré que ce soit un garçon, c'est ça ?

Il la serre contre lui et l'embrasse.

— Elle va être sublime, comme sa maman.

Gaëlle se détache doucement de ses bras et essuie ses larmes. Elle analyse en une seconde le visage innocent de Jean-Robert, vacillant dans sa décision : mais non, elle n'a pas le choix. Il faut reprendre ses esprits, et mentir, surtout ne pas détruire ce bonheur, cette famille.

— Un garçon, c'est moins de trouble qu'une fille, reprend-elle en se forçant à se ressembler. À l'adolescence, avoir un garçon, c'est se préoccuper d'une seule queue. Avec une fille, faut surveiller toutes les queues qui vont lui courir après !

— T'inquiète... J'aurai toujours un permis de port d'arme et un fusil de chasse sur moi.

Elle pouffe de rire. Cet homme est rassurant, fidèle, toujours égal. Comment a-t-elle pu le tromper avec un polygame ?

— J'espère qu'elle réalisera la chance qu'elle a de t'avoir comme père.

— Ce sera toute une surprise !

— Pourquoi dis-tu ça ? demande-t-elle, étonnée.

Mais le numéro de Nathalie s'affiche sur son cellulaire et Gaëlle a compris déjà. Quand elle raccroche, elle éclate en larmes.

— Ginette ! dit-elle à Jean-Robert.

— Je t'accompagne, mon amour.

- - - - -

Dès qu'ils arrivent sur les lieux, Gaëlle et Jean-Robert rencontrent Nathan et Noah, effondrés sur la galerie du chalet. Sophie, déjà présente, console Nathalie qui suffoque de tristesse.

Dans la petite chambre du fond, face au lac, le corps inanimé de Ginette Lamoureux gît sur le lit.

Gaëlle donne une longue étreinte à Nathalie, puis jette un œil timide dans la chambre.

— On dirait qu'elle dort..., murmure Gaëlle.

— Elle nous a quittés il y a à peine deux heures. Hier soir, elle se plaignait d'insupportables nausées, elle éprouvait beaucoup de difficulté à respirer. Elle a demandé à Joseph de lui donner encore de la morphine, car elle n'en pouvait plus de souffrir. J'étais à ses côtés lorsqu'elle a poussé son dernier souffle.

— La morgue a été avisée ? questionne Sophie, en tenant toujours Nathalie par la main.

— Non, pas encore, je n'ai pas la force ni le courage de les appeler... c'est trop dur ! Vincent m'a demandé d'attendre qu'il arrive avant de les contacter. Il veut voir sa mère avant...

— Et le docteur Alphonse, il est où ?

— Il arrive d'une minute à l'autre. Il est parti ce matin pour une urgence... Il a dû retourner en ville. Il vient de m'appeler, il est en chemin.

— Je peux faire quelque chose ? demande Jean-Robert.

— Occupe-toi des jumeaux, mon amour, lui dit sa femme. Demande-leur s'ils souhaitent déjeuner, tu les emmèneras faire un tour au village. C'est correct, Nath ? ajoute-t-elle en se retournant vers son amie.

— Oui, merci, Gaëlle.

— Et vous, les filles, je vous rapporte quelque chose ?

— Du café, s'il te plaît, Jean-Robert, répond Nathalie.

CHAPITRE 19

Trois mois plus tard. Brossard.

— J'plus capable, j'suis tellement plus capable !

La tête dans les mains, allongée sur le lit, Gaëlle cherche depuis dix minutes une bonne position, mais rien n'y fait. Ni le coussin de grossesse le plus luxueux de l'hémisphère Nord, ni la musique pour femmes enceintes, ni les multiples attentions maladroites de Jean-Robert : le bébé ne cesse de donner des coups à intervalles régulièrement douloureux…

— Mon amour, je sais que c'est difficile, compatit son mari en s'allongeant à ses côtés pour lui caresser le ventre. Il ne reste que trois petits mois…

— Je suis tannée d'attendre, je ne m'endure plus ! Neuf mois de gestation, c'est beaucoup trop long ! C'est super mal organisé ! J'aurais préféré être comme une lapine… Accoucher après trente jours.

— Justement, en parlant de lapin, suggère Jean-Robert en prenant sa voix de crooner, ça ne te dit pas de reprendre un peu leur rythme sex…

— Ah non, Jean-Robert Nau ! vocifère Gaëlle en se redressant. Je t'ai dit que tu risques de faire mal à la tête de la p'tite avec la trompe d'éléphant qui te sert de pénis ! On ne prend pas de risques. Abstinence totale !

— Oh, mais il y a d'autres moyens de se faire plaisir, mon amour, dit-il en descendant la main plus bas dans le legging de Gaëlle.

— Ça non plus ! Et arrête de m'exciter, ça provoque des contractions !

— Je peux caresser ta poitrine, juste un peu ?

— Pantoute ! Ça aussi, ça m'excite et mes seins coulent, ce qui veut dire que la lactation a débuté, et tu prives le bébé de nourriture. Ça commence bien ton métier de papa, fait-elle en rigolant. Tu vides le garde-manger !

Elle tourne légèrement la tête vers lui.

— D'ailleurs, tu ferais mieux de nous trouver une nouvelle maison au lieu d'agiter ta quincaillerie. On devrait acheter quelque chose de plus grand, avec une grande cour, dans un quartier familial, près d'un parc. Ce serait beaucoup mieux pour elle.

— Tu as raison, c'est une excellente idée.

Il pose la tête sur l'épaule de sa femme.

Elle continue :

— On pourrait aller à Saint-Hubert à proximité de tes parents.

— Vraiment ? remarque-t-il avec calme. Mais tu as toujours détesté cette ville !

— J'ai envie d'être près de ta mère... Elle va pouvoir m'apprendre plein de trucs sur la maternité. Qu'est-ce que tu en penses ?

Il se relève sur le lit, s'assied en tailleur face à elle et lui prend la main.

— Gaëlle, tu plaisantes, n'est-ce pas ?

Mais elle est sérieuse. Depuis plusieurs semaines, il la sentait plus « groundée », moins superficielle dans ses émotions. Elle le confirme.

— Tu sais, j'ai réalisé à quel point son amour et son soutien sont précieux pour moi. J'adore ma belle-mère, Jean-Robert ! Depuis qu'on n'a plus ce...

Elle désigne son ventre.

— ... ce léger, ce pesant, cet insupportable différend, tout s'est apaisé entre nous. Tu as une mère fantastique et j'espère que je serai à la hauteur, moi aussi.

Jean-Robert avance son visage vers elle pour l'embrasser, mais elle le repousse tendrement.

— Maintenant, va me chercher de la crème glacée aux pistaches dans le congélateur et n'oublie pas de rajouter quelques cornichons, j'adore ça !

- - - - -

Sainte-Adèle. Nathalie et Joseph se baladent sur la plage du lac Rond.

Son regard bleu se pose encore avec souffrance sur le paysage qu'aimait tant Ginette, mais elle tient son premier cadeau dans la main : celle de Joseph, cet homme qu'elle n'aurait jamais rencontré sans cette maladie.

Il a été de tous les instants, organisant la veillée funéraire, l'assistant pour les obsèques, allant même jusqu'à l'aider à trouver les mots justes pour son petit discours à l'église.

— C'est si paisible, ici, dit-elle devant l'eau calme du lac.

Il se baisse pour ramasser une pierre.

— Tu sais, je songe sérieusement à venir m'installer ici à temps plein.

— Et tes patients ? Tu vas faire le trajet tous les jours ?

Il s'accroupit sur le sable et lève les yeux vers elle.

— Je voudrais profiter de la vie avec toi… J'ai envie de prendre ma retraite. Je pratique la médecine depuis plus de trente ans… Et je trouve que j'ai maintenant le droit de prendre soin de toi, de moi. De nous…

Nathalie s'assied sur la plage. Il la serre contre son épaule.

— Et tu te sens capable de te tenir occupé, toi qui es habitué à quatre-vingt-dix heures par semaine ?

— C'était une manière comme une autre de ne pas penser à moi. Aujourd'hui, je n'ai plus besoin de me fuir. Tu as changé tout ça !

Elle sourit et se presse contre son corps, dégustant cette présence solide. Il y a entre eux une certitude, une évidence aussi sereine que ce lac. On entend un huart dans le lointain, puis tout à coup :

— Tu viens vivre avec moi ?

Nathalie détourne la tête vers Joseph.

— Ici ? À Sainte-Adèle ? Mais je vais vivre de quoi ? D'amour et d'eau fraîche ?

— Oui. Avec un peu de champagne aussi, de temps en temps...

— Oh mon Dieu ! Je dois travailler encore plusieurs années avant d'être en mesure de prendre ma retraite ! s'exclame-t-elle en riant. Sans compter que les enfants vont coûter de plus en plus cher quand je vois ce qu'ils dévorent...

Il se lève, se place devant elle, toujours assise, et lui tend la main.

— Tu n'as plus besoin de travailler. Laisse-moi m'occuper de toi. Si tu veux, je t'emmène faire un tour du monde et puis on retourne s'installer ici. Tu viens ?

— Faire un tour du monde ! répète-t-elle, incrédule, en lui donnant sa main.

Il la relève et la prend contre lui.

— Pêche en haute mer dans les Caraïbes, ski dans les Alpes françaises, couscous quelque part au Maroc. Et rencontrer les Masaï en Tanzanie. Découvrir le monde ! J'en ai toujours rêvé !

— Et mes enfants ?

— J'en ai parlé avec Vincent. Il aimerait beaucoup les avoir près de lui pendant leur adolescence. Il dit que c'est sa manière de réparer. On les retrouverait pour les vacances...

— Et les week-ends..., poursuit timidement Nathalie.

— Bien sûr ! Tant que tu veux, Nathalie ! Tu sais, j'aime beaucoup tes fils. Je ne les connais pas beaucoup, mais lorsque je les vois, nous avons une belle entente. Tu ne m'as pas répondu, conclut-il, pour le tour du monde. C'est oui alors ?

- - - - -

Greenfield Park. Après le décès de Ginette, Nathalie a proposé à Sophie de s'installer gratuitement dans la maison avec ses enfants. Au bord de la piscine de la résidence, Sophie lève les bras au ciel.

— Je n'arrive pas à y croire, c'est un rêve, je ne veux pas me réveiller !

— Je suis tellement fière de toi ! dit Chantal. Tu le mérites tellement !

— Non mais, tu réalises ce qui m'arrive ? Je vais commencer ma formation en lancement d'entreprise, je vais pouvoir ouvrir ma boutique d'esthétique ! C'est quasiment un miracle.

— Tu vois ? Je te l'avais dit : fais-toi confiance. Quand on ne trouve pas de solution, c'est la solution qui nous trouve !

— Il faut que j'en parle aux filles ! À Gaëlle avant tout ! Elle m'a tellement aidée.

— Tu es vraiment privilégiée d'avoir des amies aussi formidables. Et Kurt, tu as des nouvelles ?

— Ne m'en parle pas... Depuis que sa mère a eu l'excellente idée de me faire suivre et a découvert notre relation, il me harcèle. Son dernier chantage consiste à me menacer de révéler aux enfants notre couple.

— Il refuse toujours de signer, pour le divorce ?

— Il m'a dit qu'il avait déchiré les papiers... et qu'il est prêt à me « reprendre » quand j'aurai moi-même repris mes sens. Tu crois que je devrais dire la vérité aux enfants ?

— Ta vérité est toujours préférable à ce que Kurt va en faire, Sophie. Si tu veux, on leur en parlera toutes les deux.

— Chantal, est-ce que tu sais que tu es le plus beau cadeau que je me suis offert pour mes quarante ans ?

— Alors déballe-le vite, plaisante-t-elle en s'approchant avec un large sourire.

- - - - -

Saint-Hubert.

Margareth admire le travail, l'air satisfait.

— Bravo, doudou, c'est très joli !

Fritz s'est affairé à terminer de peindre la chambre de sa future petite-fille. Il se penche pour baisser le volume du CD de la Compagnie créole que sa femme a racheté à Nicole.

— Nous irons chercher le bébé pour qu'elle dorme avec nous à la maison. Je suis impatiente de la prendre dans mes bras, lui chanter des berceuses haïtiennes, la promener dans son carrosse et lui préparer à manger.

— Est-ce qu'ils ont choisi le prénom ?

— Oui, elle s'appellera Dahlia comme la fleur.

— Dahlia, quel beau choix !

— Laisse-moi appeler Gaëlle pour savoir ce qu'elle veut manger aujourd'hui.

— Mais doudou, tu passes tes journées à lui préparer des plats, il n'y a plus de place dans son congélateur ! remarque Fritz en riant. Il n'y en a même plus dans son ventre !

Elle prend son air consterné, comme s'il n'était pas au courant des informations internationales.

— Tu sais que sa très bonne amie Sophie s'est séparée récemment ?

Fritz, le pinceau à la main, finit une retouche. Il acquiesce.

— Bon, eh bien, elle est seule avec quatre enfants...

Il dépose son pinceau.

— Maga !

— Je vais proposer à Gaëlle que je lui prépare des plats à elle aussi.

— Doudou, tu nourris déjà tous les résidants permanents de...

— Fritz, l'interrompt-elle très sérieusement, tu sauras que dans la vie il faut savoir aider son prochain. Lorsque le Seigneur te bénit chaque jour d'avoir la chance de manger à ta faim, tu dois partager. C'est écrit dans la Bible.

Fritz, qui ne discute jamais des Écritures avec sa femme, reprend sa peinture en murmurant quelque chose qu'elle n'essaie pas de comprendre.

CHAPITRE 20

Trois mois plus tard.

— Chéri ! Viens tout de suite !

Jean-Robert jaillit de son sommeil profond et regarde son cellulaire. Il est 4 h du matin.

Gaëlle, dans la salle de bain, crie à tue-tête, immobile, appuyée sur le lavabo.

Au-dessus d'une flaque.

— C'est là, maintenant, j'viens de perdre mes eaux ! Appelle l'ambulance ! Appelle la police ! Appelle le docteur Lavallée ! Oh my God, j'accouche !

Il prend deux serviettes, en jette une sur la flaque et tend l'autre à sa femme qui, dans la panique, ne sait quoi en faire.

Jean-Robert s'avance, soulève Gaëlle comme une poche de sable, et la transporte le plus délicatement possible vers le lit. Elle crie de plus belle. Ses contractions se sont soudainement intensifiées.

— Désolé, mon amour, tu as mal ? s'excuse-t-il en la déposant sur le lit.

— Aie ! J'plus capable, j'suis vraiment plus capable !

— OK, mon amour, j'appelle l'ambulance, ne bouge surtout pas ! Non, je vais t'emmener, ça ira plus vite !

— Assure-toi que le docteur Lavallée sera là. Je ne veux pas tomber sur un stagiaire pour mon premier accouchement ! dit-elle sourdement, tiraillée par la douleur.

Elle halète maintenant, essayant de s'immobiliser pour laisser se diffuser la crispation atroce de ses abdominaux.

— Qu'est-ce que tu ressens, mon amour ? demande Jean-Robert le plus calmement possible en cherchant son téléphone.

— Rien, répond Gaëlle pour s'en persuader, concentrée sur sa respiration. Absolument… rien. Je vais super bien, je suis com-plè-te-ment détendue et je suis en train de vivre le plus beau moment de ma vie. J'ai peur, c'est tout !…

— Ça va bien aller, mon amour, ne t'inquiète pas…

— OK, mais toi, avant de tomber dans le coma, peux-tu appeler l'ambulance ? Je n'ai jamais vu un Noir aussi blanc.

Jean-Robert glisse ses doigts comme un parkinsonien sur le téléphone intelligent pour le déverrouiller.

— Veux-tu te calmer, s'il te plaît ! Tu vas finir par bloquer ton téléphone. Prends le fixe ! Non ! corrige-t-elle, prépare d'abord la valise, le sac du bébé, mon rouge à lèvres, et le fer plat aussi.

— On n'a pas le temps, mon amour !

— C'est pas vrai que j'vais accoucher sans être arrangée ! Prends ma trousse à maquillage quand même, j'me maquillerai dans la voiture.

Il rassemble ce qu'il peut à grande vitesse, et se tient prêt, à côté de la porte, fier d'avoir tout sous contrôle.

— Chéri ?

— On n'a plus le temps, mon amour, on parlera dans la voiture.

— Peux-tu au moins enfiler un pantalon et un pull ?

- - - - -

Dans la voiture, Gaëlle pratique sa respiration mais sent les contractions se rapprocher alors que l'hôpital Charles-Lemoyne s'éloigne car Jean-Robert, paniqué à l'idée qu'elle accouche dans le véhicule, se perd en chemin.

La douleur est intense. Elle n'a pas envie de répondre aux questions de son mari, et encore moins de le rassurer. Elle a envie d'arriver. Et qu'il se calme, car son stress énerve jusqu'à sa fille.

— Veux-tu mettre le CD de Zamphir, s'il te plaît ? Le son de la flûte de pan, c'est parfait pour le bébé, je sais qu'elle aime ça.

Jean-Robert, tremblant, cherche fébrilement dans le compartiment de CD.

— Mon amour, je ne le trouve pas !

— Alors, mets celui de Nana Mouskouri, ça aussi, Dahlia aime ça.

— Tout de suite, amour de ma vie. Excuse-moi, chérie, j'ai l'impression que c'est moi qui vais accoucher ! Tu es tellement calme... Au fait, depuis quand es-tu fan de Nana Mouskouri ? demande-t-il en glissant un CD d'Emeline Michel dans le lecteur.

— C'est pas moi, c'est le bébé. Ahhhh ! gémit-elle en se reconcentrant immédiatement sur la respiration. Dépêche-toi, j'plus capable d'attendre, je veux arriver à l'hôpital ! ! !

- - - - -

Dès qu'elle entend le téléphone sonner, Margareth réveille son mari.

— Fritz, c'est sûrement Haïti qui appelle pour nous annoncer une mauvaise nouvelle ! Seigneur, Marie, Joseph !

Fritz, toujours endormi, peine à ouvrir les yeux.

— Mais réponds, doudou ! Peut-être que c'est Gaëlle qui est en train d'accoucher.

— Au secours, c'est vrai, c'est sûrement Gaëlle !

Margareth décroche à toute vitesse le combiné.

— Allô, manmye, viens tout de suite à l'hôpital avec papi, Gaëlle va accoucher !

— C'est vrai ? L'Éternel Dieu est grand, j'arrive tout de suite ! Fritz, Gaëlle est prête à mettre bas, elle accouche ! ! !

Fritz saute rapidement hors du lit et enfile ses vêtements. Margareth, déjà prête, chapelet et statuette de la Vierge Marie en main, l'attend impatiemment. Sur le chemin, elle téléphone aux membres de sa famille en Haïti, à New York, à Miami, à Boston pour leur apprendre l'heureuse nouvelle.

— Oh Seigneur, je suis tellement nerveuse que j'en oublie le numéro de téléphone de tante Cocotte ! Je vais appeler Lucienne...

— ... qui appellera Lisette qui le dira à Marie-Maude qui contactera Simone, c'est ça ? plaisante Fritz.

- - - - -

En attendant l'arrivée de ses parents, Jean-Robert avertit Sophie et Nathalie, puis réintègre la salle d'accouchement.

Une infirmière examine le col de Gaëlle en posant les questions d'usage pour évaluer le moment de l'accouchement. Les contractions de Gaëlle, qui lui avaient laissé un peu de répit, reprennent de plus belle.

— Le col est ouvert à sept, il faut attendre encore un peu. Nous allons vous conduire dans une chambre en attendant que vous soyez prête. Désirez-vous avoir une épidurale ?

— Non, pas du tout. J'veux vivre un vrai accouchement le plus naturel possible.

— Quoi ? s'écrie Jean-Robert. Mais ça va t'éviter les douleurs des contractions !

— Jean-Robert, s'il te plaît, j'ai dit non. C'est mon premier bébé et c'est ce que je désire vivre comme expérience.

Il incline la tête, cherchant du courage pour affronter les douleurs de sa femme.

— Tu vas couper le cordon, promis ?

— Bien sûr, mon cœur !

— Madame Simard, vous êtes chanceuse, c'est votre gynécologue qui est de garde ce matin, il viendra vous voir dès que vous serez installée dans votre chambre.

— Merci beaucoup, madame.

— Ma Gaëlle adorée, je ne te reconnais plus, tu es d'un calme olympien...

— Sérieusement, mon amour, je n'ai jamais été aussi sereine et heureuse de toute ma vie. On dirait que cette petite est en train de m'apprendre quelque chose que je ne soupçonnais même pas...

— Quoi ? fait-il en riant. Les œuvres complètes de Nana Mouskouri ?

— Non, Jean-Robert, répond-elle sérieusement. Je me rends compte qu'il y a plus important que ma personne...

- - - - -

Sophie revient dans la chambre après avoir raccroché le téléphone avec Chantal. Elle prend quelques vêtements le plus silencieusement possible, afin de ne pas réveiller Charles, le petit dernier, venu se réfugier près d'elle en pleine nuit à la suite d'un cauchemar. Puis elle s'assied au salon, en attendant l'arrivée de Chantal.

— Encore merci, mon amour.

— Tu peux partir tranquille, je m'occupe de tout.

— Alors voilà, je t'ai tout noté ici, dit-elle en lui tendant un Post-It. Tu dois déposer William et Élizabeth à 8 h, les deux autres à 8 h 45. J'ai préparé les boîtes à lunch hier soir, tout est prêt, c'est au frigo. Les vêtements sont...

— Veux-tu te dépêcher, Gaëlle t'attend ! la réprimande doucement Chantal en l'embrassant. J'ai trois frères plus jeunes, six neveux et nièces... J'ai l'habitude avec les enfants.

— Tu es un ange, je t'appelle tout à l'heure.

- - - - -

Saint-Jérôme. Joseph et Nathalie filent à vive allure sur l'autoroute 15 en direction de Greenfield Park.

— J'ai l'impression que c'est moi qui vais accoucher ! dit Nathalie, très nerveuse. Pauvre Gaëlle ! Dramatique comme elle est, elle doit avoir convoqué la direction générale pour réclamer un feu d'artifice en son honneur !

— Tu vois, j'ai l'opinion contraire, répond Joseph. Elle semblait très calme ces derniers mois. Même si je la connais peu, j'ai tout de même pu constater un changement flagrant dans son attitude depuis quelques jours. La maternité est un mystère qui peut transformer les femmes les plus timides en tigresses et donner la sagesse aux plus folles. Tu pourrais être surprise...

- - - - -

Boulevard Taschereau. Le couple Nau arrive finalement à l'hôpital, Margareth saute du véhicule et se dirige en courant à l'étage de néonatalogie.

— Est-ce que ma fille a accouché ? demande-t-elle en passant devant le premier préposé à l'entretien qu'elle croise, éberlué, dans le couloir.

Elle bouscule tout le monde sur son passage et se rend directement au poste des infirmières.

— Gaëlle Simard ! Je cherche la chambre de Gaëlle Simard ! C'est ma belle-fille, elle est venue accoucher !

Amusée par son attitude, une infirmière la dirige vers la chambre 3605 où elle arrive en sueur et paniquée.

— Oh Seigneur Jésus, tu es dilatée à combien de centimètres ?

— Huit environ, réplique Gaëlle entre deux contractions.

— Jean-Robert, qu'est-ce que tu attends pour lui donner des compresses d'eau froide, tu ne vois pas qu'elle a chaud ? Laisse-moi faire.

— Papi n'est pas venu avec toi ?

— Il est en bas, il attend tante Alice qui va venir nous rejoindre avec ta cousine Mona et sa sœur Michaëlle, son mari Otoniel aussi sera là. Tante Denise et tante Marie-Thérèse arrivent.

— Manmye, franchement…

— Gloire à toi, Jésus ! Le Seigneur est mon berger, il me conduit vers de verts pâturages et…

Margareth pousse un cri.

— Qu'est-ce que tu as, Maga ? demande Gaëlle.

— Moi aussi, je ressens des contractions ! C'est l'émotion, excuse-moi.

— Manmye, calme-toi, s'il te plaît...

— Maga, tu dois rester calme, sinon tu vas faire peur au bébé !

Elle s'éloigne du lit et, dans la chambre enfin devenue silencieuse, continue ses litanies.

— Fleur toute belle du Mont-Carmel, vigne fructueuse, splendeur du ciel, mère bénie du fils de Dieu, assistez-moi dans mes besoins...

— C'est déjà le baptême ?

Nathalie, accompagnée de Joseph et Sophie, vient d'entrer dans la chambre. Il y a presque foule déjà, et dès qu'elles ont embrassé Gaëlle et se sont assurées qu'elle ne manque de rien, Joseph leur suggère de se retirer pour la laisser accomplir le travail. Elles se retirent dans le couloir, pendant que les tantes arrivent en courant vers la chambre.

Cette nouvelle vie qui se manifeste annonce aussi une nouvelle vie pour les trois amies de toujours. Elles le sentent chacune, sans encore oser en parler aux autres, en attendant l'accouchement de celle qui ne voulait pas d'enfant. Que deviendra leur amitié quand les rencontres au Café Asada s'espaceront parce que Gaëlle ne pourra quitter son bébé, que Nathalie sera en Tanzanie et que

Sophie aura définitivement emménagé ailleurs ? Que sera leur vie ?

Nathalie, qui n'a plus remis les pieds dans un hôpital depuis Ginette, revoit son visage émacié, la suppliant d'aller mourir à Sainte-Adèle. Sophie, à qui cet établissement rappelle Kurt et sa belle-mère, soupire de soulagement. Comme il est loin, son couple parfait et terriblement vide ! Lorsqu'elle reçoit plusieurs appels successifs de Mme Mayfield, elle les ignore, aussi bien par respect du règlement intérieur de la maternité que par hygiène, afin de ne pas polluer l'air du futur bébé...

Le gynécologue, averti de l'imminence de l'accouchement, fait un signe lointain à Joseph que le moment est arrivé. Les filles se rapprochent discrètement de la chambre de Gaëlle. Le calme y règne encore. Par la porte entrouverte, elles entendent même la conversation de la future maman.

— Chéri, dit faiblement Gaëlle, passe-moi ma brosse à cheveux et mes feuillets d'anti-sébum pour enlever le gras sur mon visage... oh, et mon rouge à lèvres aussi.

— Mais, Gaëlle..., s'étonne Jean-Robert.

— Pas de mais... Le premier visage que ma fille va voir, c'est le mien ! J'veux être belle pour elle ! dit-elle fièrement.

— Tu vois, Joseph, chuchote Nathalie dans le couloir, la maternité peut transformer bien des femmes, mais elle ne pourra jamais transformer complètement une Gaëlle Simard !

Tout le monde rit.

— L'Éternel ! s'écrie soudain Maga, surexcitée, j'ai oublié quelque chose, doux Jésus !

— Qu'est-ce qu'il y a encore, manmye ? demande très calmement Jean-Robert.

— J'avais préparé du poulet frit avec de la salade russe pour Gaëlle, mais j'étais tellement énervée que je l'ai oublié sur le comptoir de la cuisine ! Tu as faim, doudou ?

— Tu ne..., commence Jean-Robert.

— Ahhhhhhh ! Appelez l'infirmière, s'il vous plaît ! Je sens quelque chose entre mes jambes...

CHAPITRE 21

— Alors, ton tour du monde ?

— Et toi ? Comment va Dahlia ?

— Et toi, Sophie, Chantal ?

Un an a passé au Café Asada sans que la réunion du vendredi rythme de ses fous rires et de ses larmes la vie des trois femmes. De temps en temps, elles se sont donné des nouvelles par téléphone ou par Skype. Mais depuis un an jour pour jour, depuis ce vendredi où Nathalie, peu après l'accouchement de Gaëlle, a annoncé son départ pour son tour du monde, aucune n'a serré une autre dans ses bras.

Gaëlle, arrivée la première, couvre délicatement la petite Dalhia qui dort. Elle se souvient de cette jeune femme qui allaitait son bébé et, par réflexe, la cherche des yeux dans le restaurant. Puis elle entend soudain, dans son dos :

— J'plus capable ! J'suis vraiment plus capable !

Elle se retourne et pousse un cri. C'est Sophie, ravissante, sublime même, qui dépose son sac rouge sur la table en imitant sa copine. Gaëlle, comprenant le jeu, le continue aussitôt et prend le ton craintif qu'avait autrefois Sophie :

— Si tu sens une attirance pour les femmes, tu devrais aller à l'église. Peut-être que ça te ferait du bien aussi de participer à la chorale pastorale...

Elles fondent dans les bras l'une de l'autre. Nathalie, qui les a vues de l'extérieur, accourt vers elles pour les serrer toutes les deux contre elle. Elles forment pendant un instant ce qu'elles ont toujours été : un être à trois têtes... Sophie se détache du petit groupe et s'approche de Dahlia, qui dort paisiblement. Nathalie la rejoint.

— Elle a tes yeux..., commence Sophie.

Mais Gaëlle lève la main :

— Stop, les filles ! Pas un mot de plus, vous allez dire une connerie !

Elles la regardent, déjà hilares.

Gaëlle commande trois litchis martinis et s'assied à table.

— Quoi qu'il soit arrivé dans vos existences plates pendant ces cinquante-deux semaines sans me voir, commence-t-elle, ce que je vais vous raconter est la chose la plus incroyable que vous ayez entendue.

— Nos existences ne sont plus plates ! fait Sophie en riant. N'est-ce pas, Nath ?

Celle-ci, bronzée par le soleil d'Afrique, est plus belle que jamais. Elle irradie de bonheur.

— Anyways, poursuit Gaëlle, quand je vous aurai dit ce qui m'est arrivé, elles vous paraîtront insipides, croyez-moi. D'abord, on boit !

Elles lèvent toutes les trois leurs verres.

— Ne vous inquiétez pas pour le lait, je ne fais que tremper mes lèvres...

— Raconte, alors ! insiste Sophie, tout excitée. C'est quoi ta nouvelle incroyable qui va rendre nos vies débilement plates ?

Elle aussi semble radieuse. Peut-être même que si Gaëlle ne l'avait pas aperçue de temps en temps pendant cette année, elle ne la reconnaîtrait même pas. Elle a fait le chemin à l'envers, devenant femme après avoir été mère de famille, et jeune après avoir été vieille. Depuis qu'elle a visité le septième ciel, elle ne baisse plus jamais les yeux à terre. D'ailleurs, ils sont vifs, magnifiquement maquillés, étincelants.

— Jean-Robert..., commence Gaëlle, il est stérile.

— Quoi ? Qu'est-ce qui lui est arrivé ? s'écrie vivement Sophie.

— Rien... Il l'a toujours été. Il ne voulait pas me le dire...

Les deux amies se tournent l'une vers l'autre, puis simultanément vers Gaëlle :

— Mais alors...

— Il sait pour Dahlia depuis le premier jour...

— C'est pour ça qu'avant, il acceptait si facilement que tu n'aies pas d'enfant ! comprend Sophie. Mais comment l'as-tu appris ?

Gaëlle se tourne vers la petite, comme si elle pouvait comprendre ce qu'elle va dire. Elle baisse la voix.

— Quand nous sommes rentrés à la maison avec le bébé... il avait préparé un repas aux chandelles pour fêter l'arrivée de Dahlia. Puis il l'a prise dans ses bras et il m'a tout expliqué. Comment il avait appris sa stérilité à dix-sept ans, pourquoi il avait décidé de ne rien avouer à ses parents... Comment il avait essayé de se rattraper en les comblant... Et puis...

Gaëlle s'arrête, très émue.

— Et puis il m'a remerciée.

Elle se tait. Les deux amies, interloquées, restent bouche bée.

— Il savait depuis le début, continue Gaëlle, les yeux très humides.

— Il t'a remerciée ? répète Nathalie. Il t'a remerciée de l'avoir trompé ?

— Je sais... je n'y croyais pas non plus... J'ai d'abord pensé qu'il allait m'annoncer le divorce, me battre, faire n'importe quoi... Il m'a dit que je lui avais fait le plus grand cadeau en lui donnant une fille.... C'est incroyable.

Elle sourit maintenant. Puis elle poursuit :

— Ça a complètement changé ma vie, les filles... Je me suis sentie toute petite, ridicule en fait et puis... tellement aimée. Dans le regard de Jean-Robert, j'ai compris seulement ce jour-là ce qu'il voulait dire quand il me disait « je t'aime ».

— T'as raison, dit Nathalie après un court silence. Même le Kilimandjaro à côté, c'est plate !

— My God ! s'exclame Sophie, clouée sur sa chaise.

— J'ai vendu la compagnie et j'ai tout arrêté il y a dix mois. J'ai décidé de me consacrer à lui et à Dahlia, conclut Gaëlle. Un homme comme ça, on en prend soin... On trinque !

Les trois femmes, encore sous le choc, lèvent de nouveau leurs verres.

— Tu vois, Sophie, reprend Gaëlle, je suis devenue comme toi ! Mère au foyer... mais super heureuse de l'être.

— Et elle est devenue comme toi, confirme Nathalie. Elle dit « My God », t'as entendu ? Dans quelques semaines, elle dira « anyways, les filles » !

— Oh, il n'y a pas que ça, ajoute Sophie en riant. Je m'éclate sexuellement, je commence à gagner plein d'argent avec ma boutique d'esthétique... C'est vrai, je me suis transformée en Gaëlle. On a échangé nos personnalités.

— Tu t'es remise, pour Kurt ? demande Gaëlle, sur le ton maternel que Sophie avait autrefois pour elle.

— Pour être franche, je m'attendais un peu à son suicide. C'est pour les enfants que ça a été très dur. Quand sa mère m'a appelée à l'hôpital, à la maternité, j'ai eu un pressentiment, mais je n'ai pas voulu m'écouter. Puis, quand j'ai rappelé Mme Mayfield, j'ai compris que... mettre fin à ses jours était la seule manière qu'il avait de changer de vie. Sa mère est retournée en Angleterre juste après les formalités de la succession. Elle doit être encore folle de rage que tout ça se soit passé avant le divorce et que j'aie hérité de lui. C'est pour les enfants, anyways.

Quand, à la demande de ses amies, Nathalie raconte son tour du monde, elles réalisent à quel point elle aussi a changé. Elle a découvert dans Joseph la sécurité qui lui avait tant manqué et les paysages qu'ont bus ses yeux ont lavé la tristesse qui s'y trouvait. Elle raconte les Masaï, le Maroc, le ski dans les Alpes, puis Sainte-Adèle et le lac, sa joie de retrouver ses enfants dont Vincent avait pris si bien soin. Elle aussi a aujourd'hui la vitalité de Gaëlle. Celle-ci le remarque.

— Voilà pourquoi je me sens beaucoup plus calme, dit-elle. Finalement, vous m'avez pris ce que j'avais en trop!

— On n'a rien pris, ma fille, c'est toi qui nous l'as donné, précise Sophie.

— L'amitié, ajoute Nathalie, c'est la mécanique des fluides. Trois filles complètement déséquilibrées dans une polyvalente qui finissent par devenir trois femmes heureuses grâce au litchi martini! Merci à toi, Gaëlle, conclut-elle sérieusement. Merci pour ce que tu m'as apporté.

Elles se lèvent toutes les trois, posant chacune ses bras sur les épaules de l'autre alors que Dahlia, dont c'est la première visite au Café Asada, se met à crier.

— J'plus capable, dit une des trois.

Puis elles répètent ensemble, d'une même voix amusée:

— J'plus-capaaaaaaable!